高校思想政治理论课学习指导系列丛书

# 《思想道德修养与法律基础》
# 课程练习册

赵常兴 主编

西安电子科技大出版社

**图书在版编目(CIP)数据**

《思想道德修养与法律基础》课程练习册/赵常兴主编.

—西安：西安电子科技大学出版社，2011.4 (2012.9 重印)

(高校思想政治理论课学习指导系列丛书)

ISBN 978-7-5606-2558-4

Ⅰ. ① 思… Ⅱ. ① 赵… Ⅲ. ① 思想修养—高等学校—习题集

② 法律—中国—高等学校—习题集 Ⅳ. ① G641.6‐44 ② D920.4‐44

**中国版本图书馆 CIP 数据核字(2011)第 037086 号**

策　　划　李惠萍

责任编辑　樊新玲　李惠萍

出版发行　西安电子科技大学出版社(西安市太白南路 2 号)

电　　话　(029)88242885　88201467　　　　邮　编　710071

网　　址　www.xduph.com　　　　　　　电子邮箱　xdupfxb001@163.com

经　　销　新华书店

印刷单位　陕西天意印务有限责任公司

版　　次　2011 年 4 月第 1 版　　2012 年 9 月第 4 次印刷

开　　本　727 毫米×960 毫米　　1/16

印　　张　8

字　　数　110 千字

印　　数　12 001～16 000 册

定　　价　12.00 元(含答题纸)

ISBN 978‐7‐5606‐2558‐4/G · 0039

XDUP 2850001-4

\*\*\*如有印装问题可调换\*\*\*

本社图书封面为激光防伪覆膜，谨防盗版。

# 高校思想政治理论课学习指导系列丛书

# 编 委 会

主　　任　　史小卫　丁振国

副 主 任　　秦　荣　李文兴

执行编委　　秦　荣　詹海生　王晓华　黄锁成

　　　　　　夏永林　戎毓春　赵常兴

# 出版说明

  远程教育是一种不同于传统教育的教育模式，其特点是教、学双方在时空上处于准分离状态，从而更加要求学习者具备主动学习的意识和自主学习的能力。

  为了克服自主学习过程中可能存在的无助感，提高学习者自我计划、自我检测和自我控制的能力，西安电子科技大学网络与继续教育学院组织编写了这套远程教育学习指导系列丛书，以帮助学习者总结课程内容、理清课程脉络、检测学习成效，期望在一定程度上能够起到辅助教学课件、引导学习者完成自学的作用，从而弥补教、学分离带来的不足。

西安电子科技大学网络与继续教育学院

2011 年 3 月

# 前　言

　　《思想道德修养与法律基础》是一门以马列主义、毛泽东思想、邓小平理论和"三个代表"重要思想为指导，贯彻落实"依法治国"、"以德治国"的战略思想，以人才观、人生观、价值观、道德观、法制观、实践观教育为主线，综合运用相关学科知识，依据大学生成长的基本规律，教育、引导大学生加强自身思想道德修养，增强社会主义法制观念和法律意识，提高思想政治素质和法律素质的课程。其内容主要包括思想道德修养和法律基础两个部分。它主要进行以为人民服务为核心，以集体主义为原则的社会主义思想道德修养教育以及社会主义法律意识教育，帮助大学生树立科学的成才观、人生观、价值观、法制观、实践观，形成良好的思想政治素质和道德法律意识，将自己培养成为有理想、有道德、有文化、有纪律的一代新人。

　　鉴于远程教育中师生的教与学在时空上的准分离性，使得我们在努力提高学生自主学习性方面必须有更高的要求。经学校领导与任课教师沟通，希望本课程能够在培养学生的世界观、人生观、价值观、法制观等方面发挥积极的作用，不仅作为课程来学习，更是指引我们未来发展方向的航标。本练习册的编写正是着眼于提升、检验学生自学效果，强化知识积累，同时也是远程教育考试改革的组成部分。

　　本练习册的编排体例是按照教材的逻辑结构设定的，主要包括绪论、思想道德修养、法律基础等九章内容。内容主要分为两部分：一是客观性试题，每章均包括 20 道单项选择题和 20 道多项选择题；二是每章各有 5 道主观性试题，要求学生在学习本门课程的过程中按要求完成相应的内容。

主　编

2011 年 3 月于西安电子科技大学

# 使 用 说 明

本练习册主要有两方面的作用:

第一是辅助学习的作用。通过每一章节附带的各类习题,帮助学生学习、理解各个章节涉及的学习内容,检验自己学习的效果。

第二是作为课程结业考核的依据。本练习册附有答题纸,学生将单项选择题和多项选择题的答案填涂在答题纸相应的位置,练习册中所设定的主观性试题请按教师的要求选择数目不等的题进行回答,学习结束后将答题纸作为考核的依据与其他作业一并交回。

希望大家认真学习,按照要求回答问题,争取取得好的成绩。

# 目　　录

绪　论　珍惜大学生活　开拓新的境界 ……………………… 1

第一章　追求远大理想　坚定崇高信念 ……………………… 12

第二章　继承爱国传统　振奋民族精神 ……………………… 23

第三章　领悟人生真谛　创造人生价值 ……………………… 34

第四章　加强道德修养　锤炼道德品质 ……………………… 44

第五章　遵守社会公德　维护公共秩序 ……………………… 55

第六章　培育职业精神　树立家庭美德 ……………………… 66

第七章　增强法律意识　弘扬法治精神 ……………………… 76

第八章　了解法律制度　自觉遵守法律 ……………………… 86

# 绪论
# 珍惜大学生活　开拓新的境界

## 一、学习目的和基本要求

了解大学生活特点，尽快适应大学生活，自觉培养优良学风；认清当代大学生的历史使命，明确成才目标，立志为建设和发展中国特色社会主义而奋斗；认识学习社会主义核心价值体系的重要意义，把握社会主义核心价值体系的科学内涵，努力践行社会主义核心价值体系；认识"思想道德修养与法律基础"课的特点和作用，掌握正确的学习方法，增强学习的积极性和主动性。通过绪论部分的教学，使学生明确该课程的性质和目的，认识到学习"思想道德修养与法律基础"课与自己的成长成才密切相关，能否学好这门课关系到自己的未来前途和人生价值的实现，从而激发学生努力学习的兴趣和热情。通过分析大学生活特点及其变化，提高大学生独立生活的能力，树立新的学习理念，使其尽快适应大学生活；帮助大学生理清成才与历史使命的关系，牢固树立社会主义荣辱观，适应人生新阶段，塑造当代大学生的崭新形象。

## 二、基本概念与重点难点

### 基本概念：

思想道德素质、法律素质、社会主义法律、社会主义核心价值体系

### 教学重点：

1. 了解学习该课程的意义和方法；

2．明确当代大学生的历史使命与成才目标；

3．掌握思想道德素质、科学文化素质、身心健康素质和法律素质的重要性。

**教学难点：**

1．尽快实现角色转换，树立明确的目标，塑造当代大学生的崭新形象；

2．认清自己面临的首要问题是什么，肩负什么历史使命，应该怎样度过四年大学生活。

## 同 步 练 习

# Ⅰ 客 观 性 试 题

**一、单项选择题**(在每个小题列出的四个选项中，有一项是最符合题目要求的，请将正确选项的字母填在本书后面答题卡的括号内)

1．创新学习是一种以(　　)为基础，采取创造性方法，积极追求创造性成果的学习。

A．奇思异想

B．瞬间顿悟

C．求真务实

D．封闭蛮干

2．马克思说："在科学上没有平坦的大道，只有不畏劳苦沿着陡峭山路攀登的人，才有希望达到光辉的顶点。"马克思的这句话告诉我们，在学习上一定要培养(　　)的优良学风。

A．求实

B．一丝不苟

C．勤奋

D．敢为人先

3．当今时代，(　　)已成为世界各国综合国力竞争的焦点。

A．国际地位

B．科技文化

C．自然资源

D．民主政治

4．学习和践行(　　　)是大学生提高思想道德素质和法律素质的根本要求。

A．"三个代表"重要思想

B．中华民族传统美德

C．科学发展观

D．社会主义核心价值体系

5．思想政治素质是人们从事社会政治活动所必需的基本条件和(　　　)。

A．指导方针

B．基本品质

C．基本方法

D．理论基础

6．加强思想政治修养首先要加强(　　　)。

A．理论修养

B．政治修养

C．爱国主义思想修养

D．集体主义思想修养

7．个人的政治立场取决于本人的(　　　)。

A．知识水平

B．认知能力

C．思想、毅力、修养、教育

D．所属的阶级在社会经济结构中的地位

8．人们把道德认识和情感变成个人行动的指南和原则是(　　　)。

A．道德信念

B．道德行为

C．道德意志

D．道德规范

9. 在人才的能力结构中，其核心是(　　)。

A. 自学能力

B. 创造能力

C. 分析判断能力

D. 社会活动能力

10. 中国古代先贤把在不为人知的情况下，仍能坚守自己的道德信念称之为(　　)。

A. 谨慎

B. 慎独

C. 自觉

D. 自律

11. 科学精神的精髓是(　　)。

A. 严肃认真

B. 一丝不苟

C. 实事求是

D. 精益求精

12. 保证人能成功地完成某种实际活动有关的稳固心理特征的综合素质是(　　)。

A. 智慧

B. 智力

C. 经验

D. 能力

13. 大学生要适应新的学习、生活环境，培养和提高(　　)，对于大学生的学习、生活、交友乃至认识社会和人生都具有重要的作用和意义。

A. 独立生活能力

B. 自主学习能力

C. 社会交往能力

D. 是非判断能力

14. 2006年3月4日，(　　)在一次谈话中指出，在社会主义社会里，要树立社会主义荣辱观,教育广大干部群众特别是广大青少年坚持做到"八荣八耻"。

A. 胡锦涛

B. 江泽民

C. 温家宝

D. 李长春

15. 学习科学技术知识,掌握科学的基本方法,树立科学思想,弘扬科学精神是加强(　　)。

A. 政治修养的重要内容

B. 道德修养的重要内容

C. 心理修养的重要内容

D. 科学文化修养的重要内容

16. "一个人做点好事并不难,难的是一辈子做好事,不做坏事,一贯的有益于广大群众,一贯的有益于青年,一贯的有益于革命,艰苦奋斗几十年如一日……才是最难最难的呵!"这说明了(　　)。

A. 人才成长的道路

B. 实现人生理想的途径

C. 个人修养是一个不断的、长期的、曲折的实践过程

D. 修养的境界是一个人修养所达到的实践水平或程度

17. 马克思主义认为,人的本质是(　　)。

A. 人性善恶问题

B. 人的自然属性

C. 一切社会关系的总和

D. 生产关系的体现

18. 道德是当代大学生人才素质的(　　)。

A. 灵魂

B. 基础

C. 条件

D. 内容

19. 智是大学生从事社会主义建设的本领，是大学生人才素质的(    )。

A. 灵魂

B. 基础

C. 条件

D. 内容

20. 《礼记·中庸》认为，道德修养应"莫见乎隐，莫显乎微，故君子慎其独也"。这种"慎独"的道德修养方法要求我们在学习"思想道德修养与法律基础"课时要注意(    )。

A. 学习科学理论

B. 理论联系实际

C. 知行统一

D. 多思考、深理解

二、**多项选择题**(在每小题列出的五个选项中有二至五个选项是符合题目要求的，选出正确答案并填在本书后面答题卡的括号内)

21. 与中学生活相比，大学生活将会发生的变化是(    )。

A. 心态的变化

B. 学习要求的变化

C. 同学关系的变化

D. 生活环境的变化

E. 社会活动的变化

22. 进入大学后，应该树立新的学习理念，下列属于新的学习理念的有(    )。

A. 自主学习理念

B. 机械学习理念

C. 全面学习理念

D. 创新学习理念

E. 终身学习理念

23. 当代大学生的成才目标包括(    )。

A. 德是人才素质的灵魂

B．智是人才素质的基础

C．劳是人才素质的关键

D．体是人才素质的条件

E．美是人才素质的重要内容

24．当代大学生如果要塑造崭新形象，就要(　　)。

A．理想远大、热爱祖国

B．追求真理、善于创新

C．德才兼备、全面发展

D．视野开阔、胸怀宽广

E．知行统一、脚踏实地

25．下列属于社会主义荣辱观内容的有(　　)。

A．以服务人民为荣、以背离人民为耻

B．以团结互助为荣、以损人利己为耻

C．以遵纪守法为荣、以违法乱纪为耻

D．以辛勤劳动为荣、以好逸恶劳为耻

E．以艰苦奋斗为荣、以骄奢淫逸为耻

26．当代大学生承担的历史使命是(　　)。

A．构建社会主义和谐社会

B．建设中国特色社会主义

C．实现中华民族伟大复兴

D．建设持久和平、共同繁荣的和谐世界

E．保卫祖国领土完整

27．成为(　　)全面发展的社会主义事业的建设者和接班人，是大学生需要确立的成才目标。

A．德

B．智

C．体

D．美

E．劳

28. 司马光说："才者，德之资也；德者，才之帅也。"从司马光的这句话中，可以看出(    )。

A. 智是人才素质的灵魂

B. 智是人才素质的基础

C. 德是人才素质的基础

D. 德是人才素质的灵魂

E. 德智都是人才素质的灵魂

29. 社会主义荣辱观的提出，明确了我国在发展社会主义市场经济条件下的(    )。

A. 基本价值取向

B. 法律规范

C. 道德规范

D. 行为准则

E. 法律标准

30. 在大学阶段，培养优良的学风需要在(    )上下功夫。

A. 创新

B. 勤奋

C. 严谨

D. 求实

E. 笃行

31. 大学生要适应新的学习、生活环境，培养和提高(    )，对于大学生的学习、生活、交友乃至认识社会和人生都具有重要的意义。

A. 独立生活能力

B. 自主学习能力

C. 社会交往能力

D. 是非判断能力

E. 善恶判断能力

32. 严谨就是要一丝不苟、认真负责，做到(    )。

A. 严肃

B．严格

C．严密

D．严酷

E．严厉

33．大学生的全面发展，就是(　　)的全面发展。

A．职业素质

B．思想道德素质

C．健康素质

D．科学文化素质

E．外语水平素质

34．下列属于大学灵魂之所在的有(　　)。

A．引领学术风气

B．促进思想交流

C．陶冶品德操守

D．建设精神文明

E．解决就业途径

35．提高独立生活能力，应从(　　)做起。

A．确立独立生活意识

B．虚心求教

C．细心体察

D．大胆实践

E．不断积累生活经验

36．21世纪，我国社会主义现代化建设和中国特色社会主义发展仍然面临一系列新的挑战，主要包括(　　)。

A．面临世界科技文化发展的挑战

B．面临复杂多变的国际环境的挑战

C．面临新世纪新阶段我国发展任务的挑战

D．面临资源紧缺、环境污染的挑战

E．面临人口急剧膨胀的挑战

37. 下列属于社会主义核心价值体系基本内容的是(　　)。

A. 马克思主义指导思想

B. 中国特色社会主义共同理想

C. 以爱国主义为核心的民族精神

D. 以改革创新为核心的时代精神

E. 社会主义荣辱观

38. "思想道德修养与法律基础"课是一门融(　　)于一体的课程,涉及内容十分广泛,现实性、针对性都很强。

A. 思想性

B. 政治性

C. 知识性

D. 综合性

E. 实践性

39. 关于学习"思想道德修养与法律基础"课,下列说法正确的有(　　)。

A. 这门课程学不学都无所谓

B. 对大学生成长成才没有什么帮助

C. 有助于当代大学生认识立志、树德和做人的道理,选择正确的成才之路

D. 有助于当代大学生掌握丰富的思想道德和法律知识,为提高自身素质打下基础

E. 有助于当代大学生摆正"德"与"才"的关系,做到德才兼备、全面发展

40. 在学习"思想道德修养与法律基础"课时,要注意把握方法,(　　)。

A. 注重学习科学理论

B. 注重学习掌握思想道德和法律修养的基本知识

C. 注重联系实际

D. 注重知行统一

E. 注重熟背内容

## Ⅱ　主观性试题

41．简述当代大学生的历史使命。

42．大学生应该怎样尽快适应大学生活？

43．构成社会主义核心价值体系的基本内容是什么？

44．学习"思想道德修养与法律基础"课的意义是什么？

45．学习"思想道德修养与法律基础"课的方法是什么？

# 第一章
## 追求远大理想　坚定崇高信念

内 容 导 学

### 一、学习目的和基本要求

正确理解理想和信念的含义与特征，明确理想和信念对大学生成长成才具有重要意义；确立马克思主义的科学信仰，深刻认识人类社会的发展规律，自觉树立中国特色社会主义的共同理想；正确认识理想与现实的关系，积极投身社会实践，把理想化为实践。帮助大学生确立在中国共产党领导下走中国特色社会主义道路，为实现中华民族伟大复兴而奋斗的共同理想和坚定信念，把握实现理想需要具备的基本条件，引导大学生坚持社会理想与个人理想的统一，在建设中国特色社会主义、实现中华民族伟大复兴的实践中志存高远，脚踏实地，化理想为现实。使大学生认识到追求远大理想、坚定崇高信念对于大学生成长成才的重要意义；理解树立中国特色社会主义的共同理想，确立马克思主义的信念的科学依据；理解如何确立理想和信念、如何坚定理想和信念、如何化理想为现实等问题。

### 二、基本概念与重点难点

**基本概念：**

理想、信念、信仰

**教学重点：**

1. 理想的含义与特征；

2．信念的含义与特征；

3．理解理想和信念对大学生成长成才的重要意义；

4．如何确立科学的理想和信念。

**教学难点：**

1．分辨科学与非科学的理想和信念；

2．个人理想与共同理想、共同理想与远大理想之间的关系；

3．认清实现理想的长期性、艰巨性与曲折性；

4．如何在实践中化理想为现实。

## 同 步 练 习

## Ⅰ 客 观 性 试 题

**一、单项选择题**(在每个小题列出的四个选项中，有一项是最符合题目要求的，请将正确选项的字母填在本书后面答题卡的括号内)

1．理想是(　　)。

A．为社会的少数人谋利益

B．不可能实现的向往

C．经过奋斗能够实现的想象和目标

D．纯粹主观的想象

2．信念作为人的意识的一部分，是人类特有的一种精神状态。信念对人生的重要作用体现在，信念是人们(　　)。

A．对真理的追求

B．评判事物的标准

C．追求理想的强大动力

D．对客观事物的本质和发展规律的正确反映

3．从本质上讲，理想和信念都是人类在(　　)基础上产生的一种特殊的社会意识和精神现象。

A．思想发展

B．社会实践

C．科学研究

D．哲学思维

4．信念的最集中、最高的表现形式是(　　)。

A．信仰

B．理想

C．志向

D．意志

5．宗教信仰是(　　)。

A．科学信念形式

B．非科学信念形式

C．社会主义信念形式

D．资本主义信念形式

6．人生信念按其性质可分为(　　)。

A．资产阶级信念与无产阶级信念

B．唯物主义信念与唯心主义信念

C．宗教信仰与非宗教信仰

D．科学信念与非科学信念

7．下列属于科学信念的是(　　)。

A．生死有命，富贵在天

B．金钱万能，有钱就有一切

C．个人本身就是目的，社会只是达到个人目的的一种手段

D．社会主义必然代替资本主义，全世界最终必然实现共产主义

8．空想是(　　)。

A．具有客观性的

B．纯粹客观的

C．纯粹主观的

D．对客观的超越

9. 信念在本质上表达的是一种(　　)。

A. 单纯的知识

B. 想法

C. 态度

D. 意志

10. 如果说，现实是此岸，理想是彼岸，那么，通往理想彼岸的桥梁是(　　)。

A. 实践

B. 学习

C. 智慧

D. 幻想

11. 当个人理想与社会理想发生矛盾时，我们应该(　　)。

A. 在社会理想中实现个人理想

B. 使社会理想服从个人理想

C. 在个人理想中实现社会理想

D. 使个人理想服从社会理想

12. 下列对信念的理解中，正确的是(　　)。

A. 信念强调的是认识的正确性

B. 信念表达的是一种真诚信服的态度

C. 信念反映的是客观事物的发展规律

D. 信念体现的是人们对人生目标的追求，具有合理性、科学性

13. 理想和现实的统一性表现在(　　)。

A. 理想就是现实

B. 有了坚定的信念，理想就能变为现实

C. 现实是理想的基础，理想是现实的未来

D. 理想总是美好的，而现实中既有美好的一面，也有丑陋的一面

14. 在人生理想中，居于核心地位并规定和制约着其他方面的是(　　)。

A. 生活理想

B. 职业理想

C. 道德理想

D. 社会理想

15. 信念作为人们在一定的认识基础上，对某种思想理论、学说和理想所具有的坚定不移的观念和真诚信服与坚决执行的态度，它是(　　)。

A. 对事物的正确认识

B. 认识、情感和意志的统一

C. 一种单纯的知识或想法

D. 调整人与人之间关系的准则

16. 建设有中国特色的社会主义，把我国建设成富强、民主、文明的社会主义现代化国家，是现阶段我国各族人民的(　　)。

A. 生活理想

B. 职业理想

C. 道德理想

D. 社会理想

17. 理想的实现需要每个人从我做起，从现在做起，从平凡的工作做起，这是因为(　　)。

A. 理想是人们的主观意志和想当然

B. 只要社会实践就能实现理想

C. 把理想变为现实，要靠实实在在的实践

D. 有了坚定的信念，理想就会自动变为现实

18. 追求崇高的理想需要科学的信念，具有坚定社会主义信念的人，坚信(　　)。

A. 通往共产主义的道路是遥远的，可望而不可及

B. 社会主义的道德将成为所有人自觉的行为习惯和准则

C. 社会主义必然代替资本主义，全世界最终必然实现共产主义

D. 不同的团体有相同的信念

19. (　　)是我们党和国家的根本指导思想，这是近代以来中国历史发展的必然结果，是中国人民长期探索的历史选择。

A. 毛泽东思想

B．"三个代表"重要思想

C．邓小平理论

D．马克思主义

20．现阶段我国各族人民的共同理想是(　　)。

A．实现共产主义

B．赶上和超过中等发达国家

C．实现小康社会

D．建设有中国特色的社会主义，实现中华民族伟大复兴

二、多项选择题(在每小题列出的五个选项中有二至五个选项是符合题目要求的，选出正确答案并填在本书后面答题卡的括号内)

21．理想(　　)。

A．是指在实践中形成的具有实现可能性的对未来的向往和追求

B．是幻想

C．既高于现实，又来源于现实

D．是超越现实的人类特有的一种精神现象

E．是一种空想

22．理想的内容包括(　　)。

A．生活理想

B．职业理想

C．道德理想

D．社会理想

E．财富理想

23．理想的基本特征是(　　)。

A．超前性

B．实践性

C．时代性

D．多样性

E．虚幻性

24．信念的特征有(　　)。

A．稳定性

B．多样性

C．阶段性

D．具体性

E．脆弱性

25．"志当存高远"中的"志"所包含的涵义是(    )。

A．同志

B．对未来目标的向往

C．志同道合

D．实现奋斗目标的顽强意志

E．志气

26．理想是人们在实践中形成的、有可能实现的、对未来社会和自身发展的向往与追求，是人们的(    )在奋斗目标上的集中体现。

A．世界观

B．人生观

C．价值观

D．法律观

E．道德观

27．理想与信念的关系是(    )。

A．理想与信念总是相互依存的

B．理想是信念的根据和前提

C．信念是实现理想的重要保障

D．理想是信念，信念是理想

E．当理想作为信念时，它是指人们确信的一种观点和主张

28．理想和信念的作用是(    )。

A．理想和信念对人生历程起着导向的作用，是人的思想和行为的定向器

B．指引人生的奋斗目标

C．提供人生的前进动力

D．激励人们向着既定奋斗目标前进的动力，是人生的力量源泉

E．提高人生的精神境界

29．青年大学生在立志时，应(　　)。

A．立志当高远

B．立志做大官

C．立志做大事

D．立志须躬行

E．立志以自我为中心

30．无数事实证明，人有了明确的理想，才能在人生的追求上不断去攀登，最大限度地实现人生价值；人若没有明确的理想，就像没有舵的小船，会在生活的大海中迷失方向，甚至搁浅触礁。这就是说(　　)。

A．理想是人生的奋斗目标

B．理想是人生前进的动力

C．理想是人生的精神支柱

D．理想是人们的主观意志和想当然

E．理想对个人成长无关紧要

31．邓小平说："美好的前景如果没有切实的措施和工作去实现它，就有成为空话的危险。"这说明(　　)。

A．社会实践是联系理想和现实的桥梁

B．有了理想并不意味着成功，更不意味着已经成功

C．把理想转变为现实需要艰苦奋斗、勇于实践

D．只要付诸行动，人们对美好未来的向往和追求都能成为现实

E．理想只是人的主观想象，不可能实现

32．俄国著名作家尼古拉·车尔尼雪夫斯基曾说："人的活动如果没有理想的鼓舞，就会变得空虚而渺小。"这句名言告诉我们(　　)。

A．理想指引人生的奋斗目标

B．理想提供人生的前进动力

C．理想提升人生的精神境界

D．理想只是人们的主观意志

E．把理想转变为现实需要勇于实践

33. 共产主义包含以下几层意思(    )。

A. 共产主义是一种理论学说

B. 共产主义是一种现实运动

C. 共产主义是一种社会制度

D. 共产主义是一种社会理想

E. 共产主义是一种人类空想

34. 现阶段,我国各族人民的共同理想是(    )。

A. 建设中国特色社会主义

B. 构建社会主义和谐社会

C. 实现中华民族伟大复兴

D. 全面建设小康社会

E. 实现全球和平与发展

35. 实现理想的根本途径是(    )。

A. 勇于实践

B. 坚定的信念

C. 艰苦奋斗

D. 正确认识理想与现实的关系

E. 自力更生

36. 对于理想的错误认识有(    )。

A. 理想理想,有利就想

B. 人的理想和信念是人生的精神支柱

C. 没有理想的人一样生活得很开心

D. 理想是明天的,只要今天过得好就可以了

E. 人不能没有理想

37. 理想、幻想、空想都是(    )。

A. 具有主观能动性的

B. 有实现可能性的

C. 对未来的想象

D. 符合客观规律性的

E．无法实现的

38．科学崇高的理想和信念对人生价值的实现具有重要意义。在确立理想和信念时，应该(　　)。

A．把崇高的理想和坚定的信念结合起来

B．学会对不同的理想和信念进行辨别和选择

C．把个人的理想和信念与社会的理想和信念结合起来

D．离开人的生活体验和实际行动，单纯地读书学习

E．把社会理想置于个人理想之下去实践

39．关于信念，正确的论述是(　　)。

A．信念是认知、情感和意志的有机统一体

B．是人们在一定认识基础上确立的对某种思想或事物坚信不疑并身体力行的心理态度和精神状态

C．信念是对理想的支持，是人们追求理想目标的强大动力

D．信念具有高于一般认识的稳定性

E．脱离现实的信念往往很脆弱

40．司马迁说："文王拘而演《周易》；仲尼厄而作《春秋》；屈原放逐，乃赋《离骚》；左丘失明，厥有《国语》；孙子膑脚，《兵法》修列；不韦迁蜀，世传《吕览》；韩非囚秦，《说难》、《孤愤》；《诗》三百篇，大抵贤圣发愤之所为作也。"司马迁的这句话告诉我们(　　)。

A．逆境往往可以把人打倒

B．受磨难而奋进才是身处逆境的学问

C．逆境消解了实现理想的可能性

D．要正确对待实现理想过程中的逆境

E．遇到逆境应知难而退

## Ⅱ　主观性试题

41．理想包括哪些内容和层次？

42．个人理想和社会理想的关系是什么？

43．大学生如何实现自己的崇高理想？

44．简述理想和信念对大学生成长成才的作用和意义。

45．在实践中如何做到化理想为现实？

# 第二章
## 继承爱国传统　振奋民族精神

### 内容导学

### 一、学习目的和基本要求

把握爱国主义的科学内涵和基本要求，了解中华民族爱国主义的优良传统，认识中华民族爱国主义的时代价值；明确在当代中国爱国主义与爱社会主义是统一的，在经济全球化趋势加快发展的形势下更要大力弘扬爱国主义，爱国主义是中华民族精神的核心；自觉培养民族自尊心、自信心和自豪感，促进民族团结和祖国统一，做忠诚而理智的爱国者；了解改革创新精神是时代精神的核心，把握弘扬改革创新精神的基本要求，把弘扬时代精神与弘扬民族精神有机结合起来；引导大学生将远大的理想与对祖国的高度责任感、使命感结合起来，继承爱国主义的优良传统，弘扬民族精神和时代精神，"以热爱祖国为荣，以危害祖国为耻"，做一个新时期坚定的爱国者。

### 二、基本概念与重点难点

#### 基本概念：

爱国主义、民族精神、时代精神、国防、国防观念

#### 教学重点：

1. 爱国主义的科学内涵；
2. 爱国主义的优良传统；
3. 怎样传承和弘扬中华民族精神。

**教学难点：**

1. 当代中国爱国主义与爱社会主义是统一的；

2. 在经济全球化加快发展的条件下怎样发扬爱国主义精神；

3. 为什么经济全球化不等于政治、文化一体化；

4. 弘扬爱国主义为什么要增强国防观念。

## 同 步 练 习

## Ⅰ 客 观 性 试 题

**一、单项选择题**(在每个小题列出的四个选项中，有一项是最符合题目要求的，请将正确选项的字母填在本书后面答题卡的括号内)

1. (　　)是调节个人与祖国之间关系的道德要求、政治原则和法律规范。

A. 爱国思想

B. 爱国行为

C. 爱国主义

D. 爱国情感

2. 爱国主义的基本要求包括：爱祖国的大好河山、爱自己的骨肉同胞、(　　)和爱自己的国家。

A. 爱人民

B. 爱劳动

C. 爱祖国的灿烂文化

D. 爱科学

3. 中华民族爱国主义的优良传统包括：热爱祖国、矢志不渝，天下兴亡、匹夫有责、(　　)、反对分裂和同仇敌忾、抵御外侮。

A. 维护统一

B. 艰苦朴素

C. 勤劳

D. 勇敢

4.(　　)体现了人民群众对自己祖国的深厚感情，反映了个人对祖国的依存关系。

　　A．爱国主义

　　B．民族精神

　　C．时代精神

　　D．改革创新

5.爱国主义是人们对自己故土家园、种族和文化的归属感、(　　)、尊严感与荣誉感的统一。

　　A．自豪感

　　B．认同感

　　C．自信心

　　D．自尊心

6."爱国主义是千百年来固定下来的对自己祖国的一种最深厚的感情。"这是(　　)对爱国主义的高度概括。

　　A．毛泽东

　　B．邓小平

　　C．列宁

　　D．马克思

7.在民主革命时期，爱国主义主要表现在(　　)。

　　A．大力支持国家经济建设

　　B．致力于推翻帝国主义、封建主义和官僚资本主义的统治，建立新中国

　　C．发扬我国博大精深的民族文化

　　D．献身于建设和保卫社会主义现代化事业和促进祖国统一大业

8.国家的核心利益是(　　)。

　　A．维护国家主权和领土完整

　　B．国家经济的发展

　　C．国家在国际竞争中的地位

　　D．维护民族团结

9. 新时期，爱国主义的主题是(      )。

A. 促进世界和平

B. 大力发展我国的经济

C. 建设中国特色社会主义

D. 发扬中华民族的优良传统

10. 爱国统一战线的范围包括(      )。

A. 全体社会主义劳动者和社会主义事业的建设者

B. 全体社会主义劳动者、拥护社会主义的爱国者和拥护祖国统一的爱国者

C. 全体社会主义劳动者、社会主义事业的建设者、拥护祖国统一的爱国者

D. 全体社会主义劳动者、社会主义事业的建设者、拥护社会主义的爱国者和拥护祖国统一的爱国者

11. 我国时代精神的核心是(      )。

A. 实事求是

B. 解放思想

C. 与时俱进

D. 改革创新

12. 中华民族伟大民族精神的核心是(      )。

A. 为人民服务

B. 集体主义

C. 社会主义

D. 爱国主义

13. 社会发展和变革的先导是(      )。

A. 理论创新

B. 制度创新

C. 科技创新

D. 文化创新

14. 爱国主义精神的落脚点和归宿是(      )。

A．爱国情感

B．爱国思想

C．爱国行为

D．爱国口号

15．国家不是从来就有的，而是人类历史发展到(　　)的必然产物。

A．原始社会

B．阶级社会

C．封建社会

D．奴隶社会

16．改革开放以来，我国的经济结构发生了重大变化，引起人们观念的变化，集中表现为(　　)。

A．集体主义和个人主义的冲突

B．集体主义和国家主义的冲突

C．集体主义和民族主义的冲突

D．集体主义和团体主义的冲突

17．"国而忘家，公而忘私"、"先天下之忧而忧，后天下之乐而乐"、"天下兴亡，匹夫有责"等格言警句表达的中华民族的传统美德是(　　)。

A．求真务实，敬重诚实守信

B．爱国奉献，以天下为己任

C．勤劳勇敢，追求自由解放

D．乐群贵和，强调人际和谐

18．按照建设有中国特色社会主义的共同理想的要求，在政治思想、道德品质和知识技能、审美能力、身心健康等方面，通过长期的锻炼和培养达到完美境界的是(　　)。

A．修养

B．涵养

C．品德

D．能力

19．在经济全球化的背景下弘扬爱国主义精神，需要(　　)。

A．提高民族自尊心和自信心

B．完全否定中国的传统和现实

C．对本民族进行过度的颂扬和崇拜

D．从经济基础到上层建筑的一切领域都与西方接轨

20．在经济全球化形势下，（　　）仍然是民族存在的最高形式，是国际社会活动中的主体。

A．国际组织

B．国家

C．跨国公司

D．经济联盟体

**二、多项选择题**(在每小题列出的五个选项中有二至五个选项是符合题目要求的，选出正确答案并填在本书后面答题卡的括号内)

21．爱国主义（　　）。

A．体现了人民群众对自己祖国的深厚感情

B．反映了个人对祖国的依存关系

C．是人们对自己故土家园、种族和文化的归属感、认同感、尊严感与荣誉感的统一

D．是调节个人与祖国之间关系的要求、政治原则和法律规范

E．是民族精神的核心

22．爱国主义的基本要求是（　　）。

A．爱祖国的大好河山

B．爱祖国的优秀文明

C．爱自己的骨肉同胞

D．爱祖国的灿烂文化

E．爱自己的国家

23．爱国主义的优良传统有（　　）。

A．天下兴亡、匹夫有责

B．维护统一、反对分裂

C．热爱和平、自强不息

D. 热爱祖国、矢志不渝

E. 同仇敌忾、抗御外侮

24. 爱国主义的时代价值体现在(　　)。

A. 是中华民族继往开来的精神支柱

B. 是维护祖国统一的纽带

C. 是维护民族团结的纽带

D. 是实现中华民族复兴的动力

E. 是个人实现人生价值的力量源泉

25. 爱国主义与(　　)具有一致性。

A. 爱祖国的人民

B. 爱祖国的文化

C. 爱社会主义

D. 拥护祖国统一

E. 爱自己的家乡

26. 爱国主义包括(　　)。

A. 认知

B. 态度

C. 情感

D. 思想

E. 行为

27. 下列选项体现"自强不息"民族精神的是(　　)。

A. 富贵不能淫，贫贱不能移，威武不能屈

B. 亲仁善邻

C. 大禹治水

D. 愚公移山

E. 与邻为善

28. 立志献身于祖国社会主义现代化建设事业的大学生应该(　　)。

A. 要有献身精神

B. 要有艰苦奋斗的精神

C. 要有健康的身心

D. 要有爱国主义的热情

E. 要有远大志向

29. 创新是一个(　　)。

A. 民族进步的灵魂

B. 政党治党治国之道

C. 国家兴旺发达的不竭动力

D. 政党永葆生机的源泉

E. 人人都可以实现的事情

30. 在经济全球化的条件下，怎样弘扬爱国主义？(　　)

A. 加速提高中国的国力

B. 加强国家的国防建设

C. 积极应对挑战和风险

D. 积极参与国际事务

E. 要以宽广的眼界看待世界

31. 弘扬和培育民族精神的原则是(　　)。

A. 要以宽阔的眼光看待弘扬和培育民族精神

B. 要以实践的眼光看待弘扬和培育民族精神

C. 要以创新的眼光看待弘扬和培育民族精神

D. 要以进步的眼光看待弘扬和培育民族精神

E. 要以全新的眼光看待弘扬和培育民族精神

32. 改革创新包括(　　)。

A. 理论创新

B. 制度创新

C. 科技创新

D. 文化创新

E. 其他方面的创新

33. 时代精神是(　　)。

A. 在新的历史条件下形成和发展的

B．体现了民族的特质

C．顺应时代潮流的思想观念、行为方式、价值取向、精神风貌和社会风尚的总和

D．与民族精神紧密相连的，是民族精神的时代性体现

E．中华民族的伟大创造

34．改革创新之所以是时代精神的内涵，是因为(　　)。

A．改革创新是党的智慧结晶

B．改革创新是进一步解放和发展生产力的必然要求

C．改革创新符合历史发展规律

D．改革创新是建设社会主义创新型国家的迫切需要

E．改革创新是落实科学发展观、构建社会主义和谐社会的重要条件

35．时代精神包括(　　)。

A．解放思想、实事求是

B．与时俱进、勇于创新

C．知难而进、一往无前

D．艰苦奋斗、务求实效

E．淡泊名利、无私奉献

36．弘扬以改革开放为核心的时代精神，要(　　)。

A．大力推进理论创新、制度创新、科技创新、文化创新以及其他各方面的创新

B．自觉投身于改革创新的伟大实践

C．积极进行自我创新学习

D．培养创新能力

E．树立创新观念

37．下列说法正确的是(　　)。

A．爱国情感是爱国主义的基础，是人们对祖国的一种直接感受和情绪体验

B．爱国思想是爱国主义的灵魂，是人们对祖国的理性认识

C．爱国精神是爱国主义的灵魂，是人们长期以来形成的一种稳定情感

D. 爱国行为是爱国主义的体现，是指人们身体力行、报效祖国的实际行动

E. 爱国行为是爱国主义精神的落脚点和归宿

38. 自觉维护国家利益，就要(        )。

A. 承担起对国家应尽的义务

B. 宣传爱国主义思想

C. 维护改革、发展、稳定的大局

D. 树立民族自尊心和自豪感

E. 积极进行创新活动

39. 国防观念(        )。

A. 是指国家进行的军事以及与军事有关的政治、经济、科技、文化、教育等方面的建设和斗争

B. 是国家生存和发展的安全保障

C. 是一个国家和民族对国防建设的目的、内容、途径和重要性等问题的认识

D. 是国家为抵御外来侵略与颠覆，捍卫国家主权、领土完整，维护国家安全、统一和发展而存在的

E. 主要包括国防忧患意识、国防目标意识、国防价值意识、国防责任意识、国防法制意识和国防献身意识等

40. 大学生增强国防观念的意义在于(        )。

A. 增强国防观念，是大学生报效祖国，弘扬爱国主义精神的重要体现

B. 增强国防观念，是大学生履行国防义务，关心支持国防和军队建设的必然要求

C. 增强国防观念，是大学生提高综合素质，促进自身全面发展的迫切需要

D. 增强国防观念，是大学生了解自己的国家，更好地热爱祖国的重要途径

E. 增强国防观念，是大学生热爱祖国，更好地为国家作贡献的重要内容

## Ⅱ 主 观 性 试 题

41. 爱国主义的科学内涵和基本要求是什么？

42. 为什么说在当代中国，爱国主义与爱社会主义在本质上是一致的？

43. 试述当代大学生如何做一个忠诚的爱国主义者。

44. 在经济全球化的条件下如何弘扬爱国主义？

45. 谈一谈你对"大学生应培养创新精神与能力"的理解？

# 第三章
## 领悟人生真谛　创造人生价值

内 容 导 学

### 一、学习目的和基本要求

认识世界观和人生观是紧密联系的,人生目的对人生实践具有重要作用,明确为人民服务的人生观是科学的人生观;了解人生态度与人生观的关系,端正人生态度;把握评价人生价值的标准和实现人生价值的条件,确立与社会主义核心价值体系相一致的人生价值目标,在实践中创造有价值的人生;自觉促进自我身心的和谐、个人与他人的和谐、个人与社会的和谐、人与自然的和谐,正确对待人生环境。结合大学生的实际和社会现实问题,帮助大学生系统地了解和学习人生观、价值观理论,掌握用马克思主义分析和理解人生问题的基本立场和基本观点,为科学、正确地解决人生中遇到的理论和实践问题提供方法论的指导。

### 二、基本概念与重点难点

**基本概念:**

世界观、人生观、价值观、人生目的、人生态度、人生价值

**教学重点:**

1. 树立正确的人生观;
2. 理解有价值的人生;
3. 正确对待人生境遇。

**教学难点:**

1. 人生实践与现实选择;

2. 在实践中创造有价值的人生;

3. 如何才能做到"知行"合一;

4. 如何认识和处理个人与社会的关系;

5. 如何理解人生环境。

## 同 步 练 习

## Ⅰ 客 观 性 试 题

**一、单项选择题**(在每个小题列出的四个选项中,有一项是最符合题目要求的,请将正确选项的字母填在本书后面答题卡的括号内)

1. 所谓人生观,是指(　　)。

A. 人们认识主观世界和改造客观世界的根本方法

B. 人们对整个世界的最根本看法和观点的总和

C. 人们在实践中形成的对人生目的和人生意义的根本看法和态度

D. 科学的人生态度

2. 人生价值是自我价值和社会价值的统一,人生的自我价值主要表现为(　　)。

A. 社会对个人的尊重和满足

B. 自我对自己本身的肯定关系,即自己满足自己需要的关系

C. 国家对个人的积极评价

D. 个人通过劳动、创造为社会和人民所作的贡献

3. (　　)就是人们对生活在其中的世界以及人与世界关系的总体看法和根本观点。

A. 世界观

B. 人生态度

C. 人生观

D. 价值观

4. (     )是个体的人生活动对社会、他人所具有的价值。

A. 人生的自我价值

B. 人生的社会价值

C. 价值观

D. 价值标准

5. 人生价值评价的根本尺度是(     )。

A. 一个人的人生活动是否符合社会发展的客观规律，是否通过实践促进了历史的发展

B. 能力大小

C. 对社会的贡献

D. 动机的善恶

6. 人的本质属性在于(     )。

A. 自然属性

B. 社会属性

C. 自然属性和社会属性

D. 自私本性

7. "主观为自己，客观为别人"是合理利己主义的代表性观点，它是一种消极的人生价值观，其错误的理论依据是(     )。

A. 人具有社会性

B. 人的社会性和自然性是统一的

C. 人的本性自私论

D. 人的本质是一切社会关系的总和

8. 人生观的核心是(     )。

A. 人生态度

B. 人生目的

C. 人生价值

D. 人生意义

9. 社会对一个人的价值评判，主要是以(     )为标准。

A．他对社会的贡献

B．他在社会中的地位

C．他所拥有的财富

D．他所拥有的荣誉

10．人生观与世界观的关系表现为(    )。

A．人生观是世界观的组成部分，世界观决定人生观

B．世界观是人生观的组成部分，世界观决定人生观

C．人生观是世界观的组成部分，人生观决定世界观

D．世界观是人生观的组成部分，人生观决定世界观

11．在社会主义初级阶段，我们所提倡的高尚的人生目的是(    )。

A．"一切向钱看"的人生目的

B．服务人民、奉献社会的人生目的

C．为个人追求权力、追求享乐的人生目的

D．"平生无大志，但求足温饱"的人生目的

12．为人民服务的人生观能够实现(    )的有机统一。

A．个人与家庭

B．家庭与社会

C．个人与社会

D．社会与集体

13．以下人生目的中，高尚的人生目的是(    )。

A．为个人求权力

B．为个人求享乐

C．为个人和全家求温饱

D．为人民大众解放谋幸福

14．科学的人生观是(    )。

A．为人民服务的人生观

B．构建自己"精神家园"的人生观

C．"自我设计"、"个人奋斗"的人生观

D．为个人和全家求温饱、谋幸福的人生观

15. 人生的社会价值主要表现为(　　)。

A. 个人对自己生命存在的肯定

B. 个人对自己生命活动需要的满足程度

C. 个人对自己的尊重和个人的自我完善

D. 个人通过劳动、创造对社会和人民所作的贡献

16. 实现人生价值的根本途径是(　　)。

A. 树立为人民服务的人生观

B. 自觉提高自我的主体意识

C. 选择正确的人生价值目标

D. 进行积极的、创造性的实践活动

17. 人民群众是推动历史前进的真正动力，是历史的主人。这种群众史观反映到人生观上必然是(　　)。

A. 为人民服务

B. 为个人谋福利

C. 人生短暂，及时行乐

D. 主观为自己，客观为他人

18. 马克思曾说："作为确定的人，现实的人，你就有规定，就有使命，就有任务，至于你是否意识到这一点，那都是无所谓的。"这里确定的、现实的人的"规定"、"使命"和"任务"指的是(　　)。

A. 人生目的

B. 人生理想

C. 人生责任

D. 人生价值

19. 人生目的是指人(　　)的根本观点和看法。

A. 为什么发展

B. 为什么活着

C. 为什么工作

D. 为什么努力

20. 伟大的德国音乐家贝多芬相貌平平，但他给人们留下了许多美妙的

乐章。尤其是他在耳聋以后继续作曲，完成了一生中最著名的《第九交响曲》。贝多芬这种顽强拼搏，与厄运抗争的精神赢得了广泛的崇敬，向世人展示了一种(　　)。

A. 自然美

B. 艺术美

C. 人生美

D. 社会美

**二、多项选择题**(在每小题列出的五个选项中有二至五个选项是符合题目要求的，选出正确答案并填在本书后面答题卡的括号内)

21. 人生观主要是通过(　　)这几方面体现出来的。

A. 人生意义

B. 人生目的

C. 人生态度

D. 人生价值

E. 人生哲学

22. 人生价值的特点是(　　)。

A. 客观性

B. 社会性

C. 差异性

D. 创造性

E. 主观性

23. 下列属于正确的人生目的的是(　　)。

A. 人生在世，吃穿二字

B. 人民利益高于一切

C. 为最广大人民群众的利益服务

D. 要为祖国和人民的利益无私奉献

E. 命里有时终须有，命里无时莫强求

24. 协调个人与他人关系时应坚持的原则是(　　)。

A. 平等原则

B．诚信原则

C．宽容原则

D．互助原则

E．友爱原则

25．大学生应有的人生态度是（　　）。

A．安于现状，及时行乐

B．严肃认真，积极进取

C．助人为乐，爱国奉献

D．珍惜生命，乐观向上

E．不求永远，只求拥有

26．下列属于错误的人生观的是（　　）。

A．享乐主义人生观

B．为人民服务人生观

C．拜金主义人生观

D．个人主义人生观

E．集体主义人生观

27．关于世界观的说法，正确的是（　　）。

A．世界观是人们对生活在其中的世界的关系的总体看法和根本观点

B．人们的世界观总是通过观察和处理具体事物和具体问题时所持有的
态度和所采取的方法表现出来的

C．世界观是人们主观精神的产物

D．有什么样的人生就有什么样的世界观

E．世界观是人们在长期的社会实践活动中形成的

28．在价值评价的过程中应坚持的原则是（　　）。

A．物质贡献与精神贡献相统一

B．动机与效果相统一

C．坚持能力大小与贡献须尽力相统一

D．目的与手段相统一

E．索取与享受相统一

29. 实现人生价值的主观条件主要包括(　　)。

A. 选择正确的人生价值目标

B. 立足现实,坚守岗位作贡献

C. 自觉提高自我的主体素质

D. 时代的局限

E. 阶级的局限

30. 科学对待人生环境,主要包括协调(　　)。

A. 自我身心的关系

B. 个人与他人的关系

C. 个人与社会的关系

D. 个人与自然的关系

E. 利己主义关系

31. 人生的社会价值和自我价值之间的关系是(　　)。

A. 两者完全对立

B. 两者共同构成人生价值的矛盾统一

C. 人生的自我价值是个体生存和发展的必要条件

D. 人生的社会价值是实现人生自我价值的基础

E. 人生的自我价值是实现人生社会价值的基础

32. 爱因斯坦说:"我评价一个人的真正价值只有一个标准,即看他在多大程度上摆脱了自我。"对这句话的正确理解是(　　)。

A. 个人价值的大小要看社会对他的满足程度

B. 人生的真正价值在于对社会的奉献

C. 对社会贡献越大,摆脱"自我"的程度也越大,个人的人生价值就越大

D. 人的价值不是体现在自我价值上,而是体现在社会价值上

E. 人生价值的大小取决于他"自我"价值实现的程度

33. 人生境遇受多方面的影响,如(　　)。

A. 受制于一定的社会环境

B. 受制于一定的自然条件

C．受制于人自身的主观条件

D．受制于人自身的客观条件

E．受制于个人的主观想法

34．要客观、公正、准确地评价社会成员人生价值的大小，除了要掌握科学的标准以外，还需要掌握恰当的评价方法，因此必须坚持( )。

A．能力大小与贡献须尽力相统一

B．物质贡献与精神贡献相统一

C．完善自身与贡献社会相统一

D．动机和效果相统一

E．经济效益和社会效益相统一

35．保持心理健康的方法和途径有( )。

A．树立正确的世界观、人生观、价值观

B．掌握应对心理问题的科学方法

C．合理地调控情绪

D．积极参加集体活动

E．增进人际交往

36．人生态度大致可分为积极进取的人生态度和消极无为的人生态度。大学生应当树立积极进取的人生态度。这是因为，积极进取的人生态度( )。

A．容易使人好高骛远

B．有助于实现人生价值

C．有助于达到人生目的

D．能够调整人生道路的方向

E．能够使人忘记现实的痛苦

37．人际关系在人们的社会生活中具有十分重要的作用，良好的人际关系能够( )。

A．使人不需艰苦劳动，便可坐享其成

B．使人保持心境轻松、平稳、态度乐观

C．为一个人事业的成功创造优良的环境

D．使人的物质生活和精神生活获得更多的幸福

E．使人一步登天，不劳而获

38．人生观是人们对人生目的和人生意义的根本看法和态度。下列选项中，属于人生观范畴的有(　　)。

A．人为什么活着

B．思维和存在的关系如何

C．人类社会的发展规律是什么

D．如何对待人生道路上的困难和矛盾

E．先有鸡还是先有蛋

39．人生价值是自我价值和社会价值的统一。下列选项中，体现了人生的社会价值的有(　　)。

A．个人的社会存在

B．个体的人生对于社会和他人的意义

C．作为客体的人满足作为主体的人的需要的关系

D．个人通过劳动、创造对社会和人民所作的贡献

E．个人对自己的满足

40．科学的人生观应当(　　)。

A．代表人类社会的进步

B．符合时代的需要

C．以自我实现为目标

D．以天下为己任

E．以满足自我为首要

## II　主观性试题

41．简述人生观与世界观的关系。

42．人生态度与人生观是什么关系？如何端正人生态度？

43．谈谈人生的自我价值与社会价值的关系。

44．如何正确认识和处理个人与社会的关系？

45．如何理解健康的含义？怎样协调自我身心关系？

# 第四章
## 加强道德修养　锤炼道德品质

内 容 导 学

### 一、学习目的和基本要求

了解道德的起源与本质，把握道德的功能与作用；正确对待中华民族的优良道德传统，辨析道德建设中的错误思潮；正确认识社会主义道德与社会主义市场经济的关系，明确社会主义道德建设的核心是为人民服务，其原则是社会主义的集体主义，加强社会主义道德建设必须树立社会主义荣辱观；把握公民基本道德规范和公民道德建设的重点，提高进行道德修养的自觉性，锤炼个人品德。学习道德的理论知识及其历史发展过程，明确中华民族的优良道德传统，全面把握社会主义道德体系，自觉加强社会主义道德修养。

### 二、基本概念与重点难点

**基本概念：**

道德、诚信、公民道德、道德修养、集体主义原则

**教学重点：**

1. 道德的起源及其本质；
2. 社会主义道德的核心、基本原则与基本要求；
3. 中国优良道德传统；
4. 社会主义荣辱观的科学内涵；
5. 公民道德建设的重点——诚信。

基本难点：

1．理解社会主义市场经济中要加强社会主义道德建设；

2．理解为人民服务和集体主义原则是社会主义道德的核心；

3．公民道德建设的重点——诚信及大学生的诚信道德建设问题。

## 同 步 练 习

## Ⅰ　客观性试题

**一、单项选择题**(在每个小题列出的四个选项中，有一项是最符合题目要求的，请将正确选项的字母填在本书后面答题卡的括号内)

1．(　　)通过社会舆论、传统习俗和人们的内心信念来维系，是对人们的行为进行善恶评价的心理意识、原则规范和行为活动的总和。

A．道德

B．法律

C．法规

D．规范

2．人类最初的道德以(　　)等形式表现出来。

A．社会舆论

B．风俗习惯

C．法律条文

D．法律规范

3．道德的(　　)是指道德反映社会现实，特别是反映社会经济关系的功效与能力。

A．调节功能

B．导向功能

C．激励功能

D．认识功能

4．道德的(　　)是指道德通过评价等方式，指导和纠正人们的行为和实际活动，协调人们之间关系的功效与能力。

A．调节功能

B．认识功能

C．导向功能

D．沟通功能

5．社会主义道德建设要以(　　)为核心。

A．集体主义

B．为人民服务

C．共产主义

D．社会主义

6．社会主义道德建设的原则是(　　)。

A．个人主义

B．平均主义

C．互助主义

D．集体主义

7．道德产生的主观条件是(　　)。

A．生产关系的形成

B．人类自我意识的形成

C．生产的发展

D．人类思想水平的提高

8．道德产生的客观条件是(　　)。

A．社会关系的形成

B．生产关系的形成

C．人类自我意识的形成

D．生产的发展

9．公民道德建设的重点是(　　)。

A．爱国守法

B．诚实守信

C. 爱岗敬业

D. 勤俭自强

10. 我们在处理个人与集体、个人与他人的关系时，应当遵循的原则是（　　）。

A. 主观为自己，客观为他人

B. 只有集体利益，没有个人利益

C. 先集体后个人，先他人后自己

D. 以自我为中心，一切从个人利益出发

11. 道德是一种行为规范，它所包含和要解决的主要矛盾是（　　）。

A. 善与恶、正义与非正义

B. 公正和偏私、诚实和虚伪

C. 经济基础和上层建筑

D. 个人利益和整体利益

12. 以下选项中，第一次以决议形式肯定了为人民服务是社会主义道德的核心的是（　　）。

A. 十三大

B. 十四届六中全会

C. 十三届五中全会

D. 十五大

13. 社会主义集体主义原则的重要价值取向是（　　）。

A. 民族利益高于个人利益

B. 社会利益高于个人利益

C. 国家利益高于个人利益

D. 集体利益高于个人利益

14. 道德是由一定的社会经济基础所决定，并为其服务的（　　）。

A. 上层建筑

B. 政治制度

C. 规范准则

D. 文化传统

15. 道德的核心问题是(    )。

A. 为什么物的问题

B. 为什么人的问题

C. 为什么阶级的问题

D. 为什么社会的问题

16. 道德所调整的人和人之间的关系有许多方面,但实质是调整(    )。

A. 社会关系

B. 政治关系

C. 利益关系

D. 伦理关系

17. 人们遵循道德原则规范而表现出的外在活动是(    )。

A. 道德认识

B. 道德情感

C. 道德意志

D. 道德行为

18. 道德修养的内驱力来源于(    )。

A. 社会舆论压力

B. 个人内在的道德需要

C. 社会文明的需要

D. 政治舆论的压力

19. 人们在处理个人与他人、个人与社会的一系列行为中所表现出来的比较稳定的道德倾向和特征称为(    )。

A. 道德观

B. 道德品质

C. 道德理想

D. 道德行为

20. "先天下之忧而忧,后天下之乐而乐"反映了中华民族传统道德中的(    )。

A. 崇尚志向,重视节操的精神境界

B．勤劳勇敢，酷爱自由的民族精神

C．乐群贵和，孝慈友恭的传统美德

D．"天下兴亡，匹夫有责"的整体主义思想

**二、多项选择题**(在每小题列出的五个选项中有二至五个选项是符合题目
要求的，选出正确答案并填在本书后面答题卡的括号内)

21．道德(　　　)。

A．属于上层建筑的范畴

B．是一种特殊的社会意识形态

C．通过社会舆论、传统习俗和人们的内心信念来维系

D．具有稳定性

E．是对人们的行为进行善恶评价的心理意识、原则规范和行为活动的
总和

22．道德的主要功能是(　　　)。

A．导向功能

B．激励功能

C．认识功能

D．调节功能

E．沟通功能

23．道德的社会作用是(　　　)。

A．道德能够影响经济基础的形成、巩固和发展

B．道德对其他社会意识形态的存在和发展有着重大的影响

C．道德是影响社会生产力发展的一种重要的精神力量

D．道德通过调整人们之间的关系来维护社会秩序和稳定

E．道德是提高人的精神境界、促进人的自我完善、推动人的全面发展
的内在动力

24．继承和弘扬中华民族优良道德传统的重大意义有(　　　)。

A．继承和弘扬中华民族优良道德传统是社会主义现代化建设的客观
需要

B. 继承和弘扬中华民族优良道德传统是加强社会主义道德建设的内在要求

C. 继承和弘扬中华民族优良道德传统是个人健康成长的重要条件

D. 继承和弘扬中华民族优良道德传统是促进改革开放的重要保证

E. 继承和弘扬中华民族优良道德传统是保持国家稳定的重要手段

25. 在对待传统道德的问题上，存在的错误思潮有(    )。

A. 文化复古主义思潮

B. 全盘西化主义思潮

C. 历史虚无主义思潮

D. 大国沙文主义思潮

E. 文化帝国主义思潮

26. 下列有关道德的叙述，正确的是(    )。

A. 社会关系的形成是道德赖以产生的客观条件

B. 人类最初的道德是以风俗习惯等形式表现出来的

C. 人类自我意识的形成与发展是道德产生的主观条件

D. 语言是人类道德起源的第一个历史前提

E. 劳动是道德起源的历史前提

27. 躬行实践的方法，就是运用(    )的方法进行道德修养。

A. 道德理论和道德实践相结合

B. 言行一致

C. 知行统一

D. 思考省醒

E. 瞬间顿悟

28. 中华民族优良道德传统的主要内容包括(    )。

A. 注重整体利益、国家利益和民族利益，强调对社会、民族、国家的责任意识和奉献精神

B. 重视道德践履，强调修养的重要性，倡导道德主体要在完善自身中发挥自己的能动作用

C. 讲求谦敬礼让，强调克骄矜

D．推崇"仁爱"原则，追求人际和谐

E．倡导言行一致，强调恪守诚信

29．作为当代大学生，应该具备的道德品质是(　　)。

A．孝敬父母，勤劳节俭

B．尊敬师长，团结和睦

C．立志勤学，谦虚有礼

D．律己宽人，诚实守信

E．安于现状，及时行乐

30．道德主要通过(　　)来维持。

A．社会舆论

B．传统习惯

C．内心信念

D．国家强制力

E．法律

31．"三德"是指(　　)。

A．社会公德

B．伦理道德

C．职业道德

D．家庭美德

E．网络道德

32．诚实守信是公民道德建设的重点，这是因为(　　)。

A．诚实守信是中华民族的传统美德

B．诚实守信是职业道德的一项基本要求

C．诚实守信是市场经济条件下经济活动的一项基本原则

D．诚实守信是做人的一项基本道德要求

E．诚实守信是良好的国际形象

33．社会主义道德建设与社会主义市场经济的关系是(　　)。

A．社会主义道德建设是与社会主义市场经济相适应的

B．社会主义道德建设是独立的系统

C. 社会主义道德建设为社会主义市场经济体制的建立和完善提供道德价值导向

D. 社会主义道德建设束缚社会主义市场经济的发展

E. 社会主义道德与社会主义市场经济没有必然的联系

34. 我国公民基本道德规范的主要内容是(    )。

A. 爱国守法

B. 明礼诚信

C. 团结友善

D. 勤俭自强

E. 敬业奉献

35. 道德建设的核心体现并决定着道德建设的根本性质和发展方向。在中国特色社会主义建设的新时期，我国社会主义道德建设以为人民服务为核心。这是因为，为人民服务(    )。

A. 只是对共产党员和一切先进分子的要求

B. 体现着先进性要求和广泛性要求的统一

C. 是社会主义市场经济健康发展的基本要求

D. 是社会主义经济基础的客观要求

E. 是社会主义人际关系的客观要求

36. 道德除了对经济基础和其他社会意识形态构成影响外，其社会作用还表现在(    )。

A. 道德是影响社会生产力发展的一种重要的精神力量

B. 道德通过调整人们之间的关系来维护社会秩序和稳定

C. 道德是提高人的精神境界、促进人的自我完善、推动人的发展的内在动力

D. 在阶级社会中，道德是阶级斗争的重要工具

E. 道德是通过国家强制力量来制约人的力量

37. 下列选项中，体现了社会主义道德建设的客观要求的有(    )。

A. 社会主义荣辱观为社会主义市场经济的发展提供良好的社会环境

B. 社会主义荣辱观反映了社会主义道德的本质要求

C. 社会主义荣辱观指明了社会主义道德建设的方向

D. 社会主义荣辱观是引领社会风尚的一面旗帜

E. 社会主义荣辱观是我国的一项基本国策

38. 下列关于马克思主义道德观念的说法，不正确的是(　　)。

A. 社会关系的形成是道德赖以产生的客观条件

B. 阶级意识的形成与发展是道德产生的主观条件

C. 人们在劳动中结成生产关系，并产生需要调整的人与人之间的利益关系，也是形成道德产生所需要的主客体统一的重要条件

D. 劳动是人类道德起源的第一个历史前提

E. 语言是人类道德起源的第一个历史前提

39. 社会主义道德建设要以集体主义为原则，下面选项中，表述正确的是(　　)。

A. 社会主义集体主义强调集体利益和个人利益的辩证统一

B. 社会主义集体主义强调集体利益高于个人利益

C. 社会主义强调重视和保障个人的正当利益

D. 人民当家作主，国家利益、集体利益和个人利益具有根本的一致性

E. 集体利益与个人利益发生冲突时，个人利益优先

40.《荀子·劝学》中说："积土成山，风雨兴焉；积水成渊，蛟龙生焉；积善成德，而神明自得，圣心备焉。故不积跬步，无以至千里；不积小流，无以成江海"。这段话对我们进行道德修养的启示有(　　)。

A. 脚踏实地，从小事做起，从近处做起

B. 自知之明，解剖自己，意志坚强，控制自己

C. 精心地保持自己的善行

D. 勿以善小而不为，勿以恶小而为之

E. 坚持"慎独"，即使在个人独处，无人监督时，也不做任何不道德的事情

## Ⅱ　主观性试题

41. 道德的本质、功能和作用分别是什么？

42. 社会主义道德的核心和原则分别是什么？

43. 当代大学生怎样继承和弘扬中华民族的优良道德传统？

44. 简述社会主义市场经济对道德进步的双重效应。

45. 对待中华民族优良道德传统，我们应该持什么样的态度？

# 第五章
## 遵守社会公德 维护公共秩序

**内 容 导 学**

### 一、学习目的和基本要求

了解公共生活的特点,正确认识公共生活有序化对社会发展的重要意义,明确道德和法律是维护公共秩序的基本手段;把握社会公德的主要内容,自觉践行社会公德规范,遵守网络生活中的道德要求,营造良好的网络环境;认识法律规范在公共生活中的作用,正确理解公共生活中各主要法律规范的基本精神和主要内容,遵守公共生活中的法律规范,做维护公共秩序的模范。帮助大学生认识公共生活、公共秩序以及公共道德的本质,积极引导大学生在实际生活和学习中自觉加强道德修养、践行社会公德,养成良好的文明行为习惯。通过对公共生活中的法律规范的学习和理解,能够使大学生充分认识到法律规范在公共生活中的作用,从而帮助大学生自觉增强法律意识,提高法律素养,并在实际生活中能够自觉遵守法律规范。

### 二、基本概念与重点难点

**基本概念:**

公共生活、公共秩序、社会公德

**教学重点:**

1. 社会公共生活及其特点;
2. 社会公共生活与个人、社会发展的关系;

3. 社会公德及其践行；

4. 维护社会公共秩序的主要法律规范。

**教学难点：**

1. 正确认识和处理公共生活规范意识培养中的矛盾问题；

2. 正确认识我国当前社会公德的基本现状；

3. 维护公共秩序中道德和法律的辩证统一性。

## 同 步 练 习

## Ⅰ 客 观 性 试 题

一、**单项选择题**(在每个小题列出的四个选项中，有一项是最符合题目要求的，请将正确选项的字母填在本书后面答题卡的括号内)

1. 为调整和规范人类社会生活的三大领域，相应分别形成了(    )。

A. 生活道德、职业道德、家庭道德

B. 生活道德、职业道德、社会公德

C. 社会公德、生活道德、职业道德

D. 社会公德、职业道德、家庭道德

2. 公共秩序是由一定的规则体系维系的人们公共生活的一种有序状态。随着时代和科技的发展，公共秩序有了新的领域，下面最能体现时代特征的是(    )。

A. 工作秩序

B. 教学秩序

C. 交通秩序

D. 网络秩序

3. (    )作为社会公共生活中应当遵守的行为准则，成为整个社会道德体系的基础层次。

A. 社会公德

B．职业道德

C．家庭美德

D．个人修养

4．广义的社会公德是指(　　)。

A．公共秩序

B．文明礼貌

C．清洁卫生

D．反映阶级、民族或社会共同利益的道德

5．在公共生活领域，既有国家强制性，又有普通约束力的最权威的规则是(　　)。

A．职业道德规范

B．法律

C．公民道德实施纲要

D．宗教戒律

6．乘坐车船飞机的人应当做"文明乘客"，到影剧院看电影的人应当做"文明观众"，在图书馆读书看报的人应当做"文明读者"。这是因为在现实生活中人们应当遵守(　　)。

A．行政法规

B．职业道德

C．家庭美德

D．社会公德

7．在网络生活中，要求人们形成道德自律是因为网络生活的(　　)。

A．信息广泛性

B．方便快捷

C．虚拟性

D．覆盖面广

8．社会公共生活的特征表现为(　　)。

A．广泛性、复杂性、现实性

B．广泛性、多样性、现实性

C. 复杂性、现实性、多样性

D. 广泛性、复杂性、多样性

9. 我国《治安管理处罚法》规定，行政拘留处罚合并执行最长不超过（　　）。

A. 10日

B. 15日

C. 20日

D. 60日

10. 下列行为正确的是（　　）。

A. 人们在图书馆中看书时，李明肆无忌惮地聊天说笑

B. 在公共汽车站按秩序上车时，张四加塞拥挤

C. 班级的桌椅板凳坏了，丁凌主动修好了它们

D. 在动物园观赏动物时，有人向动物乱扔石子等杂物

11. 社会公德最基本的要求是（　　）。

A. 助人为乐

B. 见义勇为

C. 遵纪守法

D. 爱护公物

12. 衡量一个社会文明发展水平的主要标志是（　　）。

A. 生产力发展水平

B. 综合国力增强

C. 社会道德风尚

D. 科技文化发展

13. 社会主义道德的基础是（　　）。

A. 职业道德

B. 恋爱道德

C. 家庭道德

D. 社会公德

14. 道德品质的特征是( )。

A. 客观上的道德行为

B. 主观上的道德认识

C. 主观道德认识与客观道德行为的分离

D. 主观道德认识和客观道德行为的统一

15. 在社会公共生活中,处世做人最起码的要求是( )。

A. 保护环境

B. 文明礼貌

C. 爱护公物

D. 助人为乐

16."多少世纪以来人们就知道的,千百年来在一切行为守则上反复谈到的,起码的公共生活规则"属于( )。

A. 民法规则

B. 生活习惯

C. 社会公德

D. 职业道德

17. 一人有难,众人相帮;一方有难,八方支援。这是中华民族的传统美德,也是我们社会中人与之间的交往应遵循的( )。

A. 平等原则

B. 宽容原则

C. 互助原则

D. 真诚原则

18. 社会公德水平的高低是( )。

A. 一个社会文明水平的内在体现

B. 一个社会文明水平的外在体现

C. 一个社会文明水平的物质体现

D. 一个社会文明水平的文化体现

19. 道德建设的切入点是( )。

A. 职业道德建设

B．社会公德建设

C．传统美德建设

D．家庭伦理道德建设

20．每个社会成员都应该爱护公共财物，如对公园里的花木草地、街道两旁的电话邮筒、影剧院里的座位音响、马路上的井盖路标等加以保护，不损坏、不滥用、不浪费、不侵占。这是属于(　　)。

A．职业道德的基本要求

B．社会公德的基本要求

C．家庭道德的基本要求

D．环境保护的基本要求

二、**多项选择题**(在每小题列出的五个选项中有二至五个选项是符合题目要求的，选出正确答案并填在本书后面答题卡的括号内)

21．社会生活基本上可以分为(　　)。

A．公共生活

B．职业生活

C．家庭生活

D．私人生活

E．学校生活

22．社会公共生活的主要特征是(　　)。

A．活动范围广泛

B．活动内容公开

C．交往对象复杂

D．活动方式多样

E．活动内容私密

23．公共生活是相对于私人生活而言的，其鲜明的特点是(　　)。

A．封闭性

B．广泛性

C．开放性

D．透明性

E．隐秘性

24．公共生活和私人生活之间的关系是(　　　)。

A．两者既相互区别，又相互联系

B．私人生活具有一定的封闭性和隐私性

C．公共生活从来没有超过私人生活的限制

D．在公共生活中，一个人的行为，必定与他人发生直接或间接的关系

E．相对于公共生活而言，私人生活对他人和社会的影响更为直接和广泛

25．人类维护公共生活秩序的基本手段有(　　　)。

A．道德

B．纪律

C．风俗

D．法律

E．信念

26．社会公德的基本特征是(　　　)。

A．继承性

B．基础性

C．广泛性

D．简明性

E．普遍性

27．社会公德涵盖的关系是(　　　)。

A．人与人

B．人与社会

C．人与自然

D．人与精神

E．人与物质

28．我国社会公德建设的主要内容是(　　　)。

A．文明礼貌

B．助人为乐

C. 爱护公物

D. 保护环境

E. 遵纪守法

29. 下列行为中，符合社会公德要求的有( )。

A. 不随地吐痰

B. 不随地乱扔果皮纸屑

C. 爱护公园或路边的花草树木

D. 在公共汽车上为老幼病残孕让座

E. 捡到财物后，占为己有

30. 关于人类社会的公共生活的形成和发展，表述正确的是( )。

A. 在原始社会，私人生活和公共生活在相当长的时期内是同一的

B. 在自给自足式农业社会中，公共生活领域发展迅速

C. 随着资本主义现代化大工业的发展，公共生活迅速扩展

D. 即使在现代多媒体手段的普及下，人们也难做到"秀才不出门，尽知天下事"

E. 随着信息技术的发展，人类公共生活进入一个崭新的阶段

31. 网络生活中的道德要求包括( )。

A. 正确使用网络

B. 健康进行网络交往

C. 自觉避免沉迷网络

D. 养成网络自律精神

E. 避免随意发表意见

32. 下列说法正确的有( )。

A. 公共财物是国家和集体的财物，因此，我可以任意取用公共财物

B. 维护社会公共生活的基本条件就是公共秩序

C. 遵守社会公德主要靠自觉，不需要强制力量

D. 设置安全标志，是为了提醒人们注意公共安全

E. 社会公德全凭自觉，别人无权干涉

33. 根据法律规范作用的指向和侧重，可以将公共生活中法律规范的作

用分为( )。

A．指引作用

B．预测作用

C．评价作用

D．强制作用

E．教育作用

34．治安管理处罚的种类分为( )。

A．警告

B．罚款

C．行政拘留

D．吊销公安机关发放的许可证

E．限制出境或者驱逐出境

35．《环境保护法》的基本原则是( )。

A．经济建设与环境保护协调发展的原则

B．预防为主、防治结合、综合整治的原则

C．谁污染谁治理原则

D．谁开发谁保护原则

E．防止污染和公害

36．在当代社会，维护公共秩序对经济社会健康发展的重要意义包括( )。

A．有序的公共生活是构建和谐社会的重要条件

B．有序的公共生活是经济社会健康发展的必要前提

C．有序的公共生活是提高社会成员生活质量的基本保证

D．有序的公共生活是国家现代化和文明程度的主要标志

E．有序的公共生活是人人都喜欢的

37．"很黄很暴力"事件，成了 2008 年初国内最受关注的网络事件。仅仅因为在接受央视采访时说了一句"很黄很暴力"，北京一名 13 岁的中学生成为"人肉搜索"的受害者之一，她的个人信息在极短的时间内被全部曝光，网上还出现了大量"恶搞"其个人形象的视频片段，尚未成年的孩子在遭遇

了"人肉搜索"的无妄之灾后,身心严重受伤。该事件说明(    )。

A．网络是一把双刃剑,它既可以极大地促进社会的发展,又能因使用不当或缺乏规范而损害社会公德、妨碍社会的发展

B．网络的健康发展不仅需要高科技作为其先决条件,更离不开伦理道德作为其发展的支撑力量

C．应当在网络生活中加强自身的道德自律,正确使用网络工具

D．是舆论监督的体现,并无不妥

E．应充分挖掘网络的力量

38．《集会游行示威法》的基本原则是(    )。

A．游行自主原则

B．政府依法保障原则

C．权利义务一致原则

D．和平进行原则

E．不受约束原则

39．下列情形中,不予许可申请举行的集会、游行、示威的有(    )。

A．反对宪法所规定的基本原则的

B．危害国家统一、主权和领土完整的

C．煽动民族分裂的

D．反对政府某项决策的

E．将直接危害公共安全或严重搞破坏社会秩序的

40．《道路交通安全法》对严重的交通非法行为规定了拘留的处罚,这些严重的交通非法行为包括(    )。

A．对醉酒后驾驶机动车或营运机动车的

B．造成交通事故后逃逸,尚不构成犯罪的

C．对未取得机动车驾驶证、机动车驾驶证被吊销或者被暂扣期间驾驶机动车的

D．违反交通管制的规定强行通行,不听劝阻的

E．故意损毁、移动、涂改交通设施,造成危害后果,尚不构成犯罪的

## Ⅱ  主观性试题

41. 当代公共生活的特点是什么?

42. 公共生活有序化对经济社会发展有何重要意义?

43. 社会公德的基本特征和主要内容分别是什么?

44. 《集会游行示威法》的立法目的和基本原则分别是什么?

45. 网络生活中的道德要求有哪些?

# 第六章
## 培育职业精神　树立家庭美德

### 内 容 导 学

## 一、学习目的和基本要求

了解职业的本质内涵,把握职业道德和职业生活中主要法律的基本要求,努力培养职业道德素质与法律素质;引导大学生正确认识当前我国的就业形势,提高自身的职业道德和职业法律素质,树立正确的择业观和创业观,在实践中锻炼成才;同时,使大学生摆正爱情在人生中的位置,正确认识婚姻与家庭的关系,了解爱情、婚姻、家庭的本质和调节婚姻、家庭关系的道德要求和法律规范,明确正确对待爱情的应有态度,自觉遵守婚姻、家庭的道德要求和法律规范。

## 二、基本概念与重点难点

### 基本概念:

职业道德、爱情、婚姻、家庭、就业、择业、创业

### 教学重点:

1. 职业的内涵和本质;
2. 职业生活中的主要法律规范;
3. 道德和法律对婚姻、家庭的基本要求。

### 教学难点:

1. 大学生职业道德素养的培养;

2. 正确认识我国当前的就业形势;

3. 择业的多样性和职业价值观的调适;

4. 确立正确的恋爱婚姻观。

## 同 步 练 习

## Ⅰ 客 观 性 试 题

**一、单项选择题**(在每小题列出的四个选项中只有一个选项是最符合题目要求的, 请将正确选项的字母填在题后括号内)

1. 人类社会生活中最普遍、最基本的活动是( )。

A. 个人生活

B. 社会生活

C. 职业生活

D. 家庭生活

2. ( )是我国第一部关于干部管理的章程性质的重要法律, 在我国干部人事制度发展史上具有里程碑的意义。

A.《公务员法》

B.《公务员暂行条例》

C.《中华人民共和国干部管理章程》

D.《行政许可法》

3. 职业道德的特征包括( )。

A. 职业性、规范性、有限性

B. 职业性、规范性、实用性

C. 职业性、实用性、有限性

D. 规范性、实用性、有限性

4. 我国职业道德的核心和基础是( )。

A. 诚实守信

B. 服务群众

C. 奉献社会

D. 爱岗敬业

5. 法官必须公正反映职业道德的(　　)。

A. 职业性

B. 实用性

C. 广泛性

D. 有效性

6. 无效合同从(　　)时起就没有法律效力。

A. 订立

B. 法院裁决

C. 仲裁机构裁决

D. 工商机关发现

7. 劳动合同可以约定试用期,但试用期不能超过(　　)。

A. 2个月

B. 3个月

C. 6个月

D. 12个月

8. 我国第一部关于保护劳动者合法权益和调整劳动关系的重要法律是
(　　)。

A.《民法》

B.《劳动法》

C.《行政法》

D.《商法》

9. 在各级政府设立的劳动争议仲裁委员会的主持下,按照合法、公正、及时处理的原则,对劳动争议案件进行调解、裁决。这种解决劳动权益争议的法定形式属于(　　)

A. 调解

B. 仲裁

C. 诉讼

D. 信访

10. 我国婚姻自由的内容包括(　　)。

A. 结婚自由和订婚自由

B. 离婚自由和同居自由

C. 结婚自由和离婚自由

D. 恋爱自由和解除婚约自由

11. 夫妻间有相互(　　)的义务。

A. 赡养

B. 扶养

C. 抚养

D. 收养

12. 《婚姻法》规定："夫妻双方都有参加生产、工作、学习和社会活动的自由，一方不得对他方加以限制或干涉"，这一规定体现了我国婚姻法的(　　)原则。

A. 婚姻自由

B. 男女平等

C. 一夫一妻制

D. 计划生育

13. 婚姻家庭的本质属性是(　　)。

A. 自然属性

B. 社会属性

C. 道德属性

D. 法律属性

14. 结构性失业是指(　　)。

A. 需要就业的劳动者的职业技能、素质、择业观念与经济增长带来的就业岗位要求难以适应，导致有工作不能干

B. 劳动者由于工作不如意或者为了寻求更高的待遇和更大的发展机会而造成暂时性失业

C. 农村富余劳动力在向城镇转移过程中,常会造成一部分人处于失业状态

D. 经济周期发展不景气而造成对劳动力需求的萎缩

15.《婚姻法》规定,结婚年龄,男不得早于__周岁,女不得早于__周岁。( )

A. 20    18

B. 21    19

C. 22    20

D. 24    22

16. 在社会生活中,从事具有专门业务和特定职责,并以此作为生活来源的活动是( )。

A. 职业实践

B. 职业

C. 职业行为

D. 职业道德

17. 男女双方的恋爱行为,客观上是对社会负有相应的道德责任的行为。下列不属于男女恋爱中基本道德要求的是( )。

A. 恋爱应以寻找爱情,培养爱情为目的

B. 恋爱应有高尚的情趣和健康的交往方式

C. 恋爱应尊重对方的情感和人格,平等履行道德义务

D. 一方能够强迫另一方接受自己的爱

18. 每个从业人员在职业工作中应该慎待诺言、表里如一、言行一致、遵守劳动纪律,这是职业道德中( )。

A. 爱岗敬业的基本要求

B. 诚实守信的基本要求

C. 办事公道的基本要求

D. 服务群众的基本要求

19. 家庭美德是指( )。

A. 调整家庭的内部关系及外部关系的行为规范的总和

B. 尊敬老人、爱护子女

C. 创造轻松愉快的家庭气氛

D. 夫妻双方彼此平等相待，共同承担彼此的权利和义务

20．"真正的爱情就是要把疯狂的或是近于淫荡的东西赶得远远的。"这表明了爱情的(　　)。

A. 纯洁严肃性

B. 平等互爱性

C. 专一排他性

D. 强烈持久性

**二、多项选择题**(在每小题列出的五个选项中有二至五个选项是符合题目要求的，选出正确答案并填在本书后面答题卡的括号内)

21．职业道德的基本要求包括(　　)。

A. 爱岗敬业

B. 办事公道

C. 诚实守信

D. 服务群众

E. 奉献社会

22．职业生活中的道德和法律有许多共同的特征，具体表现在(　　)。

A. 鲜明的职业性

B. 明确的规范性

C. 独特的排他性

D. 高度的广泛性

E. 调节的有限性

23．职业生活中，法律的基本要求是(　　)。

A. 了解职业生活中的主要法律

B. 学习职业生活中的各种法律

C. 坚持职业生活中的法律的基本原则

D. 明确职业生活中的法定权利和义务

E. 依法处理职业生活中的纠纷

24. 职业生活中的最主要的法律包括(　　)。

A.《教师法》

B.《劳动法》

C.《公务员法》

D.《法官法》

E.《安全生产法》

25.《公务员法》的基本原则有(　　)。

A. 公开、平等、竞争、择优和法治原则

B. 监督约束与激励保障并重原则

C. 按劳分配与公平救助相结合的原则

D. 任人唯贤、德才兼备原则

E. 分类管理与效能原则

26.《公务员法》适用于(　　)的工作人员。

A. 依法履行公职

B. 纳入国家行政编制

C. 由国家财政负担工资福利

D. 享受特殊待遇

E. 教书育人

27. 我国《劳动法》的主要内容包括(　　)。

A. 劳动合同制度

B. 工作时间

C. 社会福利

D. 劳动监督检查

E. 休息休假制度

28. 当前我国的就业压力比较大，原因在于(　　)。

A. 我国人口基数大，需要就业的人员多，就业高峰持续时间长

B. 我国人口大多数素质较低，不能进行有效就业

C. 外来人员造成我国就业市场萎缩

D. 就业机制有待完善

E. 就业观念有待更新

29. 劳动争议发生后，当事人解决争议的方法有(　　)。

A. 协商解决

B. 向本企业劳动争议调解委员会申请调解

C. 向劳动争议仲裁委员会申请仲裁

D. 向人民法院起诉

E. 向当地政府请愿

30. 就业是民生之本，为了缓解就业压力，提供更多的就业机会，近年来国家采取了积极的就业政策，即确立了(　　)的就业方向。

A. 劳动者自主就业

B. 市场调节就业

C. 单位引导就业

D. 政府促进就业

E. 学校分配就业

31. 当前的失业类型主要有(　　)。

A. 结构性失业

B. 摩擦性失业

C. 发展性失业

D. 周期性失业

E. 潜在性失业

32. 爱情是由(　　)等基本要素构成的。

A. 责任

B. 理想

C. 性爱

D. 专一

E. 亲情

33. 婚姻家庭的和谐稳定是社会和谐稳定的基础，家庭美德是每个公民在家庭生活中应该遵守的行为准则，它涵盖了(　　)之间的关系。

A. 邻里

B. 社区

C. 夫妻

D. 长幼

E. 老弱

34. 家庭美德的内容包括(    )。

A. 尊老爱幼

B. 男女平等

C. 夫妻和睦

D. 勤俭持家

E. 邻里团结

35. 我国《婚姻法》规定，结婚必备的条件有(    )。

A. 结婚必须是男女两性的结合

B. 必须男女双方完全自愿

C. 必须达到法定的婚龄

D. 必须符合一夫一妻制

E. 禁止直系血亲和三代以内旁系血亲结婚

36. 我国婚姻法的主要内容包括(    )。

A. 结婚

B. 家庭关系

C. 离婚

D. 财产的所有关系

E. 子女对财产的继承权

37. 家庭美德的基本规范是(    )。

A. 尊老爱幼

B. 男女平等

C. 夫妻和睦

D. 勤俭持家

E. 邻里团结

38．职业道德，是人们在一定的职业活动中所应遵循的，具有自身职业特征的道德准则和规范。从业者在下列职业活动中，体现了职业道德要求的有(　　)。

A．干一行爱一行，安心本职工作，热爱自己的工作岗位

B．诚实劳动，有一分力出一分力，出满勤，干满点，不怠工，不推诿

C．自觉遵守规章制度，平等待人，秉公办事，不违章犯纪，不滥用职权

D．处处为职业对象的实际需要着想，尊重他们的利益，满足他们的需要

E．恪尽职守，顾全大局，主动承担社会义务，为社会、为他人作奉献

39．下列行为中，符合家庭美德要求的有(　　)。

A．某父亲长年沉溺于打麻将，从不管教子女

B．某对夫妻整天吵架，丈夫甚至对妻子拳脚相加

C．某丈夫不辞劳苦，20多年精心侍候卧病在床的妻子

D．某夫妇长年热情主动地照顾身边无子女的邻居大妈

E．某儿媳每逢周末都去看望不在一起生活的公婆，帮他们做家务

40．马克思说："真正的爱情表现在恋人对他的偶像采取含蓄、谦恭甚至羞涩的态度，而绝不是表现在随意流露热情和过早亲昵。"这表明(　　)。

A．在恋爱过程中不应有轻率和放荡的行为

B．恋爱双方的交往应当文明端庄，持之以度

C．真正的爱是远离疯狂和近于淫荡的东西的

D．恋爱过程中要有高尚的情趣和健康的交往方式

E．爱情内蕴着的丰富的社会属性把人的一切自然属性排除在外

## Ⅱ　主观性试题

41．简述职业道德的主要内容和要求。

42．婚姻家庭道德的主要内容有哪些？

43．大学生如何正确把握恋爱与其他方面的关系？

44．简述爱情的本质和恋爱中的道德要求。

45．当前我国就业压力比较大，原因何在？

# 第七章
## 增强法律意识　弘扬法治精神

### 内 容 导 学

## 一、学习目的和基本要求

正确理解我国社会主义法律的内涵，了解我国社会主义法律体系的概况，熟悉我国社会主义法律的运行机制，明确建设社会主义法治国家的主要任务；树立社会主义法制观念，养成自觉依法办事的习惯；增强国家安全意识，掌握国家安全法律知识，履行维护国家安全的义务；培养社会主义法律思维方式，努力维护社会主义法律权威。通过介绍社会主义法律制度的基本原理，引发对社会主义法律现象的思考，进而领会社会主义法律精神；在感悟社会主义法律精神的基础上，提出法制、民主与法治三者之间关系的思考，最终引导学生树立社会主义法治观念；在体会社会主义法治观念之后，从国家安全的角度，深入具体地阐述在社会主义法治建设中，公民应当在哪些方面拥有保护国家安全的法制意识，从而加强大学生的法律修养，培养法律思维方式。

## 二、基本概念与重点难点

### 基本概念：

法律、法律遵守、法律适用、依法治国、国家安全、法律思维方式

### 教学重点：

1. 社会主义法制与法治观念；

2．我国宪法的基本制度、法律权利与义务；

3．我国社会主义法制的基本要求和我国社会主义法律的运行。

**教学难点：**

1．法制观念与法治观念的辨析；

2．怎样维护法律的权威；

3．健全社会主义法律人格；

4．培养社会主义法律思维方式。

## 同 步 练 习

## I　客 观 性 试 题

**一、单项选择题**(在每个小题列出的四个选项中，有一项是最符合题目要求的，请将正确选项的字母填在本书后面答题卡的括号内)

1．法律主要体现的是(　　)的意志。

A．全民

B．统治阶级

C．民主党派

D．整个社会

2．法律是以(　　)为基础的。

A．意志

B．政治

C．国家

D．经济关系

3．我国依法治国的主体是(　　)。

A．党中央

B．广大人民群众

C．国务院

D．全国人大

4．我国依法治国的标准是(　　)。

A．宪法和法律

B．社会道德

C．社会习惯

D．风俗和礼仪

5．我国的司法机关包括(　　)。

A．人民法院

B．自治区人民政府

C．监察部

D．人民代表大会

6．社会主义民主的本质是(　　)。

A．共产党的领导

B．民主集中制

C．坚持社会主义道路

D．人民当家做主

7．提出依法治国，建设社会主义法治国家的治国基本方略是在(　　)。

A．1982年宪法

B．1978年党的十一届三中全会

C．党的十四大

D．党的十五大

8．法与其他社会规范的区别在于(　　)。

A．是调整人们行为的规范

B．有约束力

C．由国家强制力保证执行

D．规定制裁措施

9．根据约定俗成原则，日常生活中使用的"法律"是指(　　)。

A．国家最高权力机关制定的法律

B．国家最高行政机关制定的行政法规

C．地方国家权力机关制定的地方性法规

D．法律整体即广义上的法律

10．法律实施和实现的基本途径是（　　）。

A．执法

B．司法

C．守法

D．立法

11．在狭义上，法律执行是指国家（　　）执行法律的活动。

A．立法机关

B．行政机关

C．司法机关

D．权力机关

12．法律运行的起始性和关键性环节是（　　）。

A．法律制定

B．法律适用

C．法律执行

D．法律遵守

13．人民代表大会制度是我国的（　　）。

A．国家性质

B．政权组织形式

C．国家结构形式

D．国体

14．我国社会主义法律的本质是（　　）。

A．统治阶级意志的体现

B．广大人民意志的体现

C．一切阶级、阶层意志的体现

D．执政党意志的体现

15．法律面前人人平等的原则是指（　　）。

A．守法上一律平等

B．适用法律上一律平等

C．守法和适用法律上一律平等

D．量刑上一律平等

16．我国的最高权力机关是(    )。

A．中共中央

B．国务院

C．中央军委

D．全国人民代表大会

17．下列选项中，不属于民族自治地方自治机关的是(    )。

A．民族乡的人民政府

B．自治州的人民政府

C．自治县的人民政府

D．自治区的人民政府

18．下列选项中，属于我国国家结构形式的政治制度是(    )。

A．人民代表大会制度

B．人民政治协商会议制度

C．民族区域自治制度

D．人民民主专政制度

19．宪法是国家的根本大法。下列选项中，不属于我国现行宪法基本原则的是(    )。

A．三权分立原则

B．民主集中制原则

C．社会主义法制原则

D．一切权力属于人民的原则

20．法律思维方式的特征包括(    )。

A．讲法律、讲道德、讲证据、讲程序

B．讲道德、讲证据、讲程序、讲法理

C．讲法律、讲证据、讲程序、讲法理

D．讲法律、讲道德、讲证据、讲法理

二、**多项选择题**(在每小题列出的五个选项中有二至五个选项是符合题目要求的，选出正确答案并填在本书后面答题卡的括号内)

21. 中国社会主义法律体系包括(　　)。

A. 宪法和行政法

B. 民法和经济法

C. 刑法

D. 行政法规和地方性法规

E. 诉讼法

22. 我国社会主义法律的基本要求(　　)。

A. 有法可依

B. 有法必依

C. 执法必严

D. 违法必究

E. 有效监督

23. 社会主义法律适用的基本原则包括(　　)。

A. 以事实为根据，以法律为准绳

B. 公民在法律适用上一律平等

C. 司法机关依法独立行使职权

D. 专门机关工作与群众路线相结合

E. 实事求是，有错必纠和国家赔偿

24. 社会主义法律实施可以划分为(　　)。

A. 执法

B. 司法

C. 守法

D. 立法

E. 法律监督

25. 我国社会主义法律的运行环节是(　　)。

A. 法律制定

B. 法律遵守

C. 法律执行

D. 法律适用

E. 法律破坏

26. 社会主义民主与法治的关系是(  )。

A. 社会主义法治是社会主义民主的前提和基础

B. 社会主义民主决定着社会主义法治的性质和内容

C. 社会主义法治是社会主义民主的体现和保障

D. 社会主义法治是社会主义民主的重要实现途径

E. 社会主义民主是社会主义法治的体现和保障

27. "法治"与"法制"的关系是(  )。

A. 两者的内涵没有区别

B. 两者的内涵有重大区别

C. "法制"是一种治理国家的理论、原则、理念和方法,是一种社会意识

D. "法治"是一种治理国家的理论、原则、理念和方法,是一种社会意识

E. "法制"通常是国家的法律和制度的简称,是一种社会制度

28. 关于依法执政,正确的说法是(  )。

A. 依法执政是新的历史条件下马克思主义政党执政的一种基本方式

B. 它不需要党的领导

C. 党的领导是依法治国的根本保证

D. 依法执政就是坚持依法治国、建设社会主义法治国家

E. 国家机关可以不依法行使职权

29. 法律的内涵应该包括(  )。

A. 由国家制定或认可

B. 以国家强制力保证实施

C. 由特定社会物质生活条件所决定

D. 是统治阶级意志的体现

E. 是各阶级意志的体现

30. 有权制定法律的机关有(    )。

A. 全国人民代表大会

B. 全国人大常委会

C. 国务院

D. 国务院各部委

E. 国家主席

31. 国家司法机关包括(    )。

A. 人民检察院

B. 人民法院

C. 海关

D. 公安局

E. 城管

32. 新的国家安全观包括(    )。

A. 政治安全

B. 经济安全

C. 科技安全

D. 文化安全

E. 生态安全和社会安全

33. 法律思维方式的特征是(    )。

A. 讲法律

B. 讲证据

C. 调查研究

D. 讲法理

E. 讲程序

34. 下列关于法律的说法，正确的是(    )。

A. 法律的制定是国家行为

B. 法律的内容总是随着社会物质生活条件的发展而变化

C. 法律由国家强制力保证实施

D. 我国法律与社会主义制度密切相关

E．法律体现的是广大人民的意志

35．我国公民享有的基本权利有(　　)。

A．财产权

B．受教育权

C．选举权

D．被选举权

E．人身自由权

36．法律的国家强制力表现为(　　)。

A．国家对违法行为的制裁

B．国家对合法行为的保护

C．法律的实施过程都要借助国家的强制力

D．每一个法律规范的实施都要借助国家的强制力

E．法律只能由国家制定

37．下列关于依法治国的说法，正确的是(　　)。

A．党的领导是人民当家作主和依法治国的根本保证

B．人民当家作主是社会主义民主政治的本质要求

C．依法治国是党领导人民治理国家的基本方略

D．依法治国属于政治文明范畴

E．依法治国是一种社会意识

38．下列选项中，属于我国公民维护国家安全的法律义务的是(　　)。

A．服兵役和参加民兵组织的义务

B．保守国家秘密的义务

C．及时报告危害国家安全的法律义务

D．不得非法持有、使用专门间谍器材的义务

E．向国外提供机密情报以获得高额报酬

39．关于法的特征，下列说法正确的是(　　)。

A．法律区别于道德规范、宗教规范等其他社会规范的首要之处在于，它是由国家创制并保证实施的社会规范

B．国家创制法律规范的方式是制定

C. 法律的国家强制性，表现为国家对违法行为的否定和制裁

D. 国家强制力并不是保证法律实施的唯一力量

E. 法律比道德所调整的范围要广泛

40. 关于我国社会主义法律的本质，下列说法正确的是(    )。

A. 从法律体现的意志来看，我国社会主义法律是工人阶级领导下的广大人民意志的体现

B. 从法律的实质内容来看，我国社会主义法律是社会历史发展规律和自然规律的反映，具有鲜明的科学性和先进性

C. 从法律的社会作用来看，我国社会主义法律是中国特色社会主义事业顺利发展的法律保障

D. 我国社会主义法律，是在中国共产党领导的新民主主义革命时期孕育并确立，并在社会主义建设中不断向前发展的

E. 从法律的发展程度上来看，我国社会主义法律已经高度发达，非常完善了

## Ⅱ 主观性试题

41. 我国社会主义法律体制的基本原则有哪些？

42. 如何认识我国社会主义法律的本质？

43. 我国社会主义法律运行包括的环节有哪些？

44. 大学生应当如何增强法制观念，维护法律的权威？

45. 建设社会主义法治国家的主要任务是什么？

# 第八章
## 了解法律制度 自觉遵守法律

内 容 导 学

### 一、学习目的和基本要求

把握宪法的特征和原则，正确理解宪法的地位和作用，认识我国的国家制度和国家机构，明确我国公民的基本权利和义务。通过本章的学习，使学生了解我国宪法和有关法律制度的基本精神和主要内容，增强社会主义法制观念，正确处理成长成才过程中遇到的法律问题，努力做到依法行使公民权利，履行公民义务，维护法律尊严，以适应依法治国，建设社会主义法治国家对大学生法律素质的要求。

### 二、基本概念与重点难点

**基本概念：**

公民、法人、犯罪、正当防卫、宪法、国体、政体
知识产权、行政诉讼、民事诉讼、刑事诉讼、民事权利能力

**教学重点：**

1. 我国公民的基本权利和义务；
2. 我国实体法律制度；
3. 我国程序法律制度。

**教学难点：**

1. 理解人民代表大会制度的优越性；

2．公民在法律关系中的权利和义务；

3．掌握正当防卫和紧急避险的条件。

## 同 步 练 习

## Ⅰ 客 观 性 试 题

**一、单项选择题**(在每个小题列出的四个选项中，有一项是最符合题目要
求的，请将正确选项的字母填在本书后面答题卡的括号内)

1．我国现行宪法是(　　)颁布的，随后经过了四次修正。

A．1978 年

B．1982 年

C．1993 年

D．1999 年

2．我国的国体是(　　)。

A．人民民主专政制度

B．社会主义制度

C．政治协商制度

D．人民代表大会制度

3．我国的政体是(　　)。

A．人民代表大会制度

B．人民民主专政制度

C．共产党领导的多党合作制度

D．民族区域自治制度

4．我国的最高行政机关是(　　)。

A．国务院

B．中央军委

C．全国人大代表大会

D．最高人民法院

5. 我国的审判机关是(    )。

A. 人民检察院

B. 人民法院

C. 公安局

D. 政法委员会

6. 我国武装力量的最高领导机关是(    )。

A. 国家主席

B. 全国人大及其常委会

C. 中央军事委员会

D. 国务院

7. 我国处理民族问题的基本政策是(    )。

A. 民族平等

B. 民族团结

C. 民族区域自治

D. 各民族共同繁荣

8. 解决我国民族问题的基本原则是(    )。

A. 实行民族区域自治

B. 反对大民族主义

C. 尊重各民族的风俗习惯

D. 坚持民族平等、民族团结和各民族共同繁荣

9. 限制人身自由的行政处罚权只能由(    )行使。

A. 人民法院

B. 人民检察院

C. 公安机关

D. 人民政府

10.《行政诉讼法》规定,行政诉讼中(    )对做出的具体行政行为负有举证责任。

A. 原告

B．被告

C．原告和被告

D．原告或被告

11．公民意识的主要内容是(　　)。

A．以爱国主义为核心的社会主义民族意识

B．以宪章意识为核心的权利意识和义务意识

C．以集体主义为核心的社会主义道德意识

D．以自觉行使民主权利为核心的社会主义民主意识

12．下列选项中，不属于我国刑法基本原则的是(　　)。

A．类推原则

B．罪行法定原则

C．罪刑相适应原则

D．法律面前人人平等原则

13．下列选项中，不属于仲裁活动特征的是(　　)。

A．自愿性

B．秘密性

C．强迫性

D．效率性

14．10周岁以上的未成年人是(　　)。

A．完全民事行为能力人

B．无民事行为能力人

C．限制民事行为能力人

D．非民事行为能力人

15．根据《中华人民共和国民法通则》的规定，下列权利中，属于人格权的是(　　)。

A．债权

B．亲权

C．所有权

D．生命权

16. 在犯罪过程中，犯罪分子自动放弃犯罪或者自动有效地防止犯罪结果发生的犯罪行为是(　　)。

　　A. 犯罪预备

　　B. 犯罪未遂

　　C. 犯罪中止

　　D. 犯罪终止

17. 12 岁男孩小明的父亲作为小明的代理人为小明买了一架钢琴。这在民法上称为(　　)。

　　A. 法定代理

　　B. 委托代理

　　C. 指定代理

　　D. 授权代理

18. 关于公民的权利能力与行为能力，下列选项中表述错误的是(　　)。

　　A. 有权利能力必然有行为能力

　　B. 有行为能力必然有权利能力

　　C. 公民的民事行为能力是根据其年龄和健康状况来划分的

　　D. 公民的一般权利能力是人人生而有之，人人平等

19. 甲趁乙不备，公然夺取乙的财物。乙发现后，追上甲，欲夺回自己的财物。甲用匕首将乙刺成重伤，然后持赃物逃窜。甲的行为(　　)。

　　A. 构成故意伤害罪

　　B. 构成抢夺罪和故意伤害罪

　　C. 构成抢夺罪

　　D. 构成抢劫罪

20. 我国刑法规定，醉酒的人犯罪，(　　)。

　　A. 可以负刑事责任

　　B. 可以从轻、减轻处罚

　　C. 应当从轻处罚

　　D. 应当负刑事责任

二、多项选择题(在每小题列出的五个选项中有二至五个选项是符合题目要求的，选出正确答案并填在本书后面答题卡的括号内)

21. 宪法作为国家的根本大法，具有自己的鲜明特征，具体表现在(　　)。

A. 在制定权上，省级以上人民政府(包括省级政府)均可制定

B. 在内容上，宪法无所不包

C. 在内容上，宪法规定国家生活中最根本、最重要的方面

D. 在效力上，宪法的法律效力最高

E. 在制定和修改程序上，宪法往往比其他法律严格

22. 下列选项中，属于宪法基本原则的有(　　)。

A. 坚持党的领导原则

B. 人民主权原则

C. 保障公民权利原则

D. 法治原则

E. 民主集中制原则

23. 我国的国家制度主要包括(　　)。

A. 人民民主专政制度

B. 人民代表大会制度

C. 中国共产党领导的多党合作和政治协商制度

D. 民族区域自治制度

E. 基本经济制度

24. 根据法律规定的内容不同，可以将法律划分为实体法和程序法。下列选项中，属于实体法的有(　　)。

A. 《中华人民共和国刑法》

B. 《中华人民共和国著作权法》

C. 《中华人民共和国行政复议法》

D. 《中华人民共和国行政诉讼法》

E. 《中华人民共和国消费者权益保护法》

25. 法人成立时应当具备的条件是(　　)。

A. 依法成立

B. 有必要的财产或者经费

C. 有自己的名称

D. 能够独立承担民事责任

E. 有自己的组织机构和场所

26. 民事法律行为应当具备的条件有(　　)。

A. 行为人具有相应的民事行为能力

B. 意思表示真实

C. 具有法人资格

D. 不违反法律

E. 不违反社会公共利益

27. 无民事行为能力人包括(　　)。

A. 不满 10 周岁的未成年人

B. 不满 12 周岁的未成年人

C. 不能完全辨认自己行为的精神病人

D. 不能辨认自己行为的精神病人

E. 11 周岁的小学生

28. 在我国的民法中规定的民事权利有(　　)。

A. 物权

B. 债权

C. 知识产权

D. 继承权

E. 人身权

29. 在遗产继承中，按法定继承的有(　　)。

A. 遗嘱人经公证机关办理了公证的遗嘱

B. 遗嘱未对缺乏劳动能力又没有生活来源的继承人保留必要的遗产份额

C. 遗嘱未处分的财产

D. 遗嘱的见证人与被继承人、继承人有利害关系

E. 遗嘱拟定处分的财产

30. 下列关于代理行为的表述，正确的是(　　)。

A. 代理人必须是以被代理人的名义进行活动

B. 代理人在被代理人授权范围内独立进行意思表示

C. 代理行为必须是具有法律意义的行为

D. 代理行为产生的法律后果直接由被代理人承受

E. 代理人必须受本人委托才可行使代理权

31.《公司法》规定，设立有限责任公司必须具备的条件有(　　)。

A. 股东符合法定人数，即由 2 个以上 50 个以下股东共同出资设立

B. 股东出资达到法定资本最低限额

C. 股东共同制定公司章程

D. 有公司的名称，建立符合有限责任公司要求的组织机构

E. 有固定的生产经营场所和必要的生产经营条件

32. 我国遗产继承的方式包括(　　)。

A. 法定继承

B. 遗嘱继承

C. 遗赠

D. 遗赠扶养协议

E. 代位继承

33. 下列选项中，属于一般侵权民事责任构成要件的有(　　)。

A. 客观上存在损害事实

B. 行为具有违法性

C. 违法行为和损害事实之间存在因果关系

D. 行为人主观上有过错

E. 可能会产生损害的事实

34. 公民甲因病身故，未留有遗嘱。根据《中华人民共和国继承法》的规定，下列人员中，对甲的财产享有继承权的有(　　)。

A. 甲已出嫁的女儿

B. 与甲无血缘关系的养子

C. 与甲早已解除婚姻关系的甲的前妻

D. 对甲尽了主要赡养义务的甲的丧偶儿媳

E. 与甲有抚养关系，但无血缘关系的甲的继母

35. 我国《刑法》规定的犯罪构成要件有(　　)。

A. 犯罪主体

B. 犯罪客体

C. 犯罪主观方面

D. 犯罪客观方面

E. 犯罪事实

36. 犯罪预备成立的条件有(　　)。

A. 行为人已经开始实行犯罪的预备行为

B. 行为人尚未着手实行犯罪

C. 犯罪人未直接造成严重结果

D. 行为人在预备阶段停止下来，是由于行为人意志以外的原因

E. 行为人仅限于谋划

37. 在共同犯罪的形式中，我国《刑法》把共同犯罪人的种类分为(　　)。

A. 首犯

B. 主犯

C. 从犯

D. 胁从犯

E. 教唆犯

38. 刑罚分为主刑和附加刑，主刑是对犯罪分子适用的主要刑罚方法。下列刑罚中属于主刑的有(　　)。

A. 管制

B. 拘役

C. 罚金

D. 有期徒刑

E. 剥夺政治权利

39. 刑法的基本原则，是指刑法特有的在刑法的立法、解释和适用过程中所必须普遍遵循的具有全局性、根本性的准则。我国刑法明文规定的基本

原则有(　　)。

A. 罪刑法定原则

B. 罪刑相当原则

C. 主客观相一致原则

D. 适用刑法一律平等原则

E. 诚实信用原则

40. 我国的调解制度包括(　　)。

A. 人民调解

B. 仲裁审理

C. 行政调解

D. 司法调解

E. 指定调解

## Ⅱ　主观性试题

41. 如何认识我国宪法的特点和原则？

42. 紧急避险必须具备哪些条件？

43. 正当防卫成立的条件是什么？

44. 什么是国体和政体？我国的国体和政体分别是什么？

45. 什么是犯罪构成？犯罪构成应具备哪些要件？

# 欢迎选购西安电子科技大学出版社教材类图书

~~~~"十一五"国家级规划教材~~~~

| | |
|---|---|
| 计算机系统结构(第四版)(李学干) | 25.00 |
| 计算机系统安全(第二版)(马建峰) | 30.00 |
| 计算机网络(第三版)(蔡皖东) | 27.00 |
| 大学计算机应用基础(陈建铎) | 31.00 |
| C++程序设计语言(李雁妮) | 37.00 |
| 中文版3ds max 9室内外效果图精彩实例创作通 | 36.00 |
| 中文版3ds max9效果图制作课堂实训(朱仁成) | 37.00 |
| Internet应用教程(第三版)(高职 赵佩华) | 24.00 |
| 网络信息安全技术(周明全)(第二版) | 30.00 |
| 微型计算机原理(第二版)(王忠民) | 27.00 |
| 微型计算机原理及接口技术(第二版)(裴雪红) | 36.00 |
| 微型计算机组成与接口技术(高职)(赵佩华) | 28.00 |
| 微机原理与接口技术(第二版)(龚尚福) | 37.00 |
| 软件工程与开发技术(第二版)(江开耀) | 34.00 |
| 单片机原理及应用(第二版)(李建忠) | 32.00 |
| 单片机应用技术(第二版)(高职)(刘守义) | 30.00 |
| 单片机技术及应用实例分析(高职)(马淑兰) | 25.00 |
| 单片机原理及实验/实训(高职)(赵振德) | 25.00 |
| Java程序设计(第二版)(高职)(陈圣国) | 26.00 |
| 数据结构——C语言描述(第二版)(陈慧南) | 30.00 |
| 编译原理基础(第二版)(刘坚) | 29.00 |
| 人工智能技术导论(第三版)(廉师友) | 24.00 |
| 多媒体软件设计技术(第三版)(陈启安) | 23.00 |
| 信息系统分析与设计(第二版)(卫红春) | 25.00 |
| 信息系统分析与设计(第三版)(陈圣国)(高职) | 20.00 |
| 传感器原理及工程应用(第三版) | 28.00 |
| 传感器原理及应用(高燕) | 18.00 |
| 数字图像处理(第二版)(何东健) | 30.00 |
| 电路基础(第三版)(王松林) | 39.00 |
| 模拟电子电路及技术基础(第二版)(孙肖子) | 35.00 |
| 模拟电子技术(第三版)(江晓安) | 25.00 |
| 数字电子技术(第三版)(江晓安) | 23.00 |
| 数字电路与系统设计(第二版)(邓元庆) | 35.00 |
| 电磁场与电磁波(第二版)(郭辉萍) | 28.00 |
| 射频电路基础(赵建勋) | 33.00 |
| 天线技术(第二版)(高职)(许学梅) | 20.00 |
| 现代通信原理与技术(第二版)(张辉) | 39.00 |
| 现代通信技术与网络应用(第二版)(张宝富) | 33.00 |
| 移动通信(第四版)(李建东) | 30.00 |
| 移动通信(第二版)(章坚武) | 24.00 |
| 光纤通信(第二版)(张宝富) | 24.00 |
| 光纤通信(第二版)(刘增基) | 23.00 |
| 物理光学与应用光学(第二版)(石顺祥) | 42.00 |
| 数控机床故障分析与维修(高职)(第二版) | 25.00 |
| 液压与气动技术(第二版)(朱梅)(高职) | 23.00 |
| 机械设计基础(第二版)(高职)(赵冬梅) | 28.00 |

~~~~~~~~~计 算 机 类~~~~~~~~~

| | |
|---|---|
| 计算机应用基础(Windows XP+Office 2007)(高职) | 34.00 |
| 计算机科学与技术导论(吕辉) | 22.00 |
| 网络信息检索(董守斌) | 32.00 |
| 网络与TCP/IP协议(武奇生) | 29.00 |
| 现代信息网技术与应用(赵谦) | 33.00 |
| 计算机网络工程(高职)(周跃东) | 22.00 |
| 计算机网络技术与应用(孙健敏) | 21.00 |
| 信息安全理论与技术(李飞) | 26.00 |
| 入侵检测(鲜永菊) | 31.00 |
| 网页设计与制作实例教程(高职)(胡昌杰) | 24.00 |
| ASP动态网页制作基础教程(中职)(苏玉雄) | 20.00 |
| 新编Dreamweaver CS3动态网页设计与制作教程 | 24.00 |
| 局域网组建实例教程(高职)(尹建璋) | 20.00 |
| Windows Server 2003组网技术(高职)(陈伟达) | 30.00 |
| 综合布线技术(高职)(王趾成) | 18.00 |
| 基于Java EE的电子商务网站建设(潘海兰) | 31.00 |
| 新编电子商务实用教程(高职)(司爱丽) | 20.00 |
| 数据结构(高职)(刘肖) | 20.00 |
| 数据结构与程序实现(司存瑞) | 48.00 |
| 离散数学(第三版)(方世昌) | 30.00 |

| | | | | |
|---|---|---|---|---|
| 软件技术基础(高职)(鲍有文) | 23.00 | Visual C#.NET程序设计基础(高职)(曾文权) | 39.00 |
| 软件技术基础(周大为) | 30.00 | Visual FoxPro数据库程序设计教程(康贤) | 24.00 |
| 软件工程与项目管理(高职)(王素芬) | 27.00 | 数据库基础与Visual FoxPro9.0程序设计 | 31.00 |
| 软件工程实践与项目管理(刘竹林) | 20.00 | Oracle数据库实用技术(高职)(费雅洁) | 26.00 |
| 计算机数据恢复技术(高职)(梁宇恩) | 15.00 | Delphi程序设计实训教程(高职)(占跃华) | 24.00 |
| 微机原理与嵌入式系统基础(赵全良) | 23.00 | SQL Server 2000应用基础与实训教程(高职) | 22.00 |
| 嵌入式系统原理及应用(刘卫光) | 26.00 | SQL Server 2005 基础教程及上机指导(中职) | 29.00 |
| 嵌入式系统设计与开发(章坚武) | 24.00 | C++面向对象程序设计(李兰) | 33.00 |
| ARM嵌入式系统基础及应用(黄俊) | 21.00 | 面向对象程序设计与C++语言(第二版) | 18.00 |
| 数字图像处理(郭文强) | 24.00 | Java 程序设计项目化教程(高职)(陈芸) | 26.00 |
| ERP项目管理与实施(高职)(林逢升) | 22.00 | JavaWeb 程序设计基础教程(高职)(李绪成) | 25.00 |
| 电子政务规划与建设(高职)(邱丽绚) | 18.00 | Access 数据库应用技术(高职)(王趾成) | 21.00 |
| 电子工程师项目式教学与训练(高职)(韩党群) | 28.00 | ASP.NET 程序设计案例教程(高职)(李锡辉) | 22.00 |
| 电子线路 CAD 实用教程(潘永雄)(第三版) | 27.00 | XML 案例教程(高职)(眭碧霞) | 24.00 |
| 中文版 AutoCAD 2008 精编基础教程(高职) | 22.00 | JSP 程序设计实用案例教程(高职)(翁健红) | 22.00 |
| 网络多媒体技术(张晓燕) | 23.00 | Web 应用开发技术：JSP(含光盘) | 33.00 |
| 多媒体软件开发(高职)(含盘)(牟奇春) | 35.00 | ~~~~电子、电气工程及自动化类~~~~ | |
| 多媒体技术及应用(龚尚福) | 21.00 | 电路分析基础(曹成茂) | 20.00 |
| 图形图像处理案例教程(含光盘) (中职) | 23.00 | 电子技术基础(中职)(蔡宪承) | 24.00 |
| 平面设计(高职)(李卓玲) | 32.00 | 模拟电子技术(高职)(郑学峰) | 23.00 |
| CorelDRAW X3项目教程(中职)(糜淑娥) | 22.00 | 模拟电子技术基础——仿真、实验与课程设计 | 26.00 |
| 计算机操作系统(第二版)(颜彬)(高职) | 19.00 | 数字电子技术及应用(高职)(张双琦) | 21.00 |
| 计算机操作系统(第三版)(汤小丹) | 30.00 | 数字系统设计基础(毛永毅) | 26.00 |
| 计算机操作系统原理——Linux实例分析(肖竞华) | 25.00 | 数字电路与逻辑设计(白静) | 30.00 |
| Linux 操作系统原理与应用(张玲) | 28.00 | 数字电路与逻辑设计(第二版)(蔡良伟) | 22.00 |
| Linux 网络操作系统应用教程(高职) (王和平) | 25.00 | 电子线路CAD技术(高职)(宋双杰) | 32.00 |
| 微机接口技术及其应用(李育贤) | 19.00 | 高频电子线路(第三版)(高职) | 22.00 |
| 单片机原理与应用实例教程(高职)(李珍) | 15.00 | 高频电子线路(王康年) | 28.00 |
| 单片机原理与程序设计实验教程(于殿泓) | 18.00 | 高频电子技术(高职)(钟苏) | 21.00 |
| 单片机应用与实践教程(高职)(姜源) | 21.00 | 微电子制造工艺技术(高职)(肖国玲) | 18.00 |
| 计算机组装与维护(高职)(王坤) | 20.00 | 电路与电子技术(高职)(季顺宁) | 44.00 |
| 微型机组装与维护实训教程(高职)(杨文诚) | 22.00 | 电工基础(中职)(薛鉴章) | 18.00 |
| 微机装配调试与维护教程(王忠民) | 25.00 | 电子与电工技术(高职)(罗力渊) | 32.00 |
| 微控制器开发与应用(高职)(董少明) | 25.00 | 电工电子技术基础(江蜀华) | 29.00 |
| 高级程序设计技术(C语言版)(耿国华) | 21.00 | 电工与电子技术(高职)(方彦) | 24.00 |
| C#程序设计及基于工作过程的项目开发(高职) | 17.00 | 电工基础——电工原理与技能训练(高职)(黎炜) | 23.00 |
| Visual Basic程序设计案例教程(高职)(尹毅峰) | 21.00 | 维修电工实训(初、中级)(高职)(苏家健) | 25.00 |

| | | | |
|---|---|---|---|
| 电子测量仪器(高职)(吴生有) | 14.00 | 数字通信原理与技术(第三版)(王兴亮) | 35.00 |
| 模式识别原理与应用(李弼程) | 25.00 | 数字通信原理(高职)(江力) | 22.00 |
| 电路与信号分析(周井泉) | 32.00 | 数字通信(徐文璞) | 24.00 |
| 信号与系统(第三版)(陈生潭) | 44.00 | 通信系统中MATLAB基础与仿真应用(赵谦) | 33.00 |
| 数字信号处理——理论与实践(郑国强) | 22.00 | 通信系统与测量(梁俊) | 34.00 |
| 数字信号处理实验(MATLAB版) | 26.00 | 通信对抗原理(冯小平) | 29.00 |
| DSP原理与应用实验(姜阳) | 18.00 | LTE基础原理与关键技术(曾召华) | 32.00 |
| DSP处理器原理与应用(高职)(鲍安平) | 24.00 | 卫星通信(夏克文) | 21.00 |
| 电力系统的MATLAB/SIMULINK仿真及应用 | 29.00 | 光电对抗原理与应用(李云霞) | 22.00 |
| 开关电源基础与应用(辛伊波) | 25.00 | 无线通信基础及应用(魏崇毓) | 26.00 |
| 传感器应用技术(高职)(王煜东) | 27.00 | 频率合成技术(王家礼) | 16.00 |
| 传感器原理及应用(郭爱芳) | 24.00 | 扩频通信技术及应用(韦惠民) | 26.00 |
| 传感器与信号调理技术(李希文) | 29.00 | 光纤通信网(李跃辉) | 25.00 |
| 传感器及实用检测技术(高职)(程军) | 23.00 | 现代通信网概论(高职)(强世锦) | 23.00 |
| 现代能源与发电技术(邢运民) | 28.00 | 宽带接入网技术(高职)(张喜云) | 21.00 |
| 神经网络(含光盘)(侯媛彬) | 26.00 | 接入网技术与应用(柯赓) | 25.00 |
| 神经网络控制(喻宗泉) | 24.00 | 电信网络分析与设计(阳莉) | 17.00 |
| 可编程控制器应用技术(张世生)(高职) | 29.00 | 路由交换技术与应用(高职)(孙秀英) | 25.00 |
| 电气控制与 PLC 实训(高职 苏家健) | 27.00 | 路由交换技术实训教程(高职)(孙秀英) | 11.00 |
| 可编程控制器原理及应用(高职)(杨青峰) | 21.00 | 现代电子装联质量管理(冯力) | 27.00 |
| 基于Protel 的电子线路板设计(高职)(孙德刚) | 21.00 | 电视机原理与技术(高职)(宋烨) | 29.00 |
| 电磁波与天线技术(高职)(余华) | 17.00 | 数字电视原理(余兆明) | 33.00 |
| 电磁场与电磁波(第三版)(王家礼) | 28.00 | 有线数字电视技术(高职)(刘大会) | 30.00 |
| 电磁兼容原理与技术(何宏) | 22.00 | 音响技术(高职)(梁长垠) | 25.00 |
| 电磁环境基础(刘培国) | 21.00 | 数字视听技术(梁长垠)(高职) | 22.00 |
| 微波电路基础(董宏发) | 18.00 | ~~~~~仪器仪表及自动化类~~~~~ | |
| 微波技术与天线(第二版)(含光盘)(刘学观) | 25.00 | 计算机测控技术(刘君) | 17.00 |
| 嵌入式实时操作系统μC/OS-Ⅱ教程(吴永忠) | 28.00 | 现代测试技术(何广军) | 22.00 |
| LabVIEW程序设计与虚拟仪器(王福明) | 20.00 | 光学设计(刘钧) | 22.00 |
| 基于LabVIEW的数据采集与处理技术(白云) | 20.00 | 工程光学(韩军) | 36.00 |
| 虚拟仪器应用设计(高职)(陈栋) | 19.00 | 测试系统技术(郭军) | 14.00 |
| ~~~~~通信理论与技术类~~~~~ | | 电气控制技术(史军刚) | 18.00 |
| 专用集成电路设计基础教程(来新泉) | 20.00 | 可编程序控制器应用技术(张发玉) | 22.00 |
| 现代编码技术(曾凡鑫) | 29.00 | 图像检测与处理技术(于殿泓) | 18.00 |
| 信息论与编码(平西建) | 23.00 | 自动显示技术与仪表(何金田) | 26.00 |
| 现代密码学(杨晓元)(研究生) | 25.00 | 电气控制基础与可编程控制器应用教程 | 24.00 |
| 应用密码学(张仕斌) | 25.00 | DSP 在现代测控技术中的应用(陈晓龙) | 28.00 |

| | | | |
|---|---|---|---|
| 现代控制理论基础(舒欣梅) | 14.00 | 汽车典型电控系统结构与维修(李美娟) | 31.00 |
| 过程控制系统及工程(杨为民) | 25.00 | 汽车单片机与车载网络技术(于万海) | 20.00 |
| 控制系统仿真(党宏社) | 21.00 | 汽车故障诊断技术(高职)(王秀贞) | 19.00 |
| 模糊控制技术(席爱民) | 24.00 | 汽车使用性能与检测技术(高职)(郭彬) | 22.00 |
| 运动控制系统(高职)(尚丽) | 26.00 | 汽车电工电子技术(高职)(黄建华) | 22.00 |
| 工程力学(项目式教学)(高职) | 21.00 | 汽车电气设备与维修(高职)(李春明) | 25.00 |
| 工程材料及应用(汪传生) | 31.00 | 汽车空调(高职)(李祥峰) | 16.00 |
| 工程实践训练基础(周桂莲) | 18.00 | 现代汽车典型电控系统结构原理与故障诊断 | 25.00 |
| 工程制图(含习题集)(高职)(白福民) | 33.00 | ~~~~~~~~~其 他 类~~~~~~~~~ | |
| 工程制图(含习题集)(周明贵) | 36.00 | 移动地理信息系统开发技术(李斌兵)(研究生) | 35.00 |
| 现代工程制图(含习题集)(朱效波) | 48.00 | 地理信息系统及3S空间信息技术(韦娟) | 18.00 |
| 现代设计方法(曹岩) | 20.00 | 管理学(刘颖民) | 29.00 |
| 液压与气压传动(刘军营) | 34.00 | 西方哲学的智慧(常新) | 39.00 |
| 液压与气压传动案例教程(高职)(梁洪洁) | 20.00 | 实用英语口语教程(含光盘)(吕允康) | 22.00 |
| 先进制造技术(高职)(孙燕华) | 16.00 | 高等数学(高职)(徐文智) | 23.00 |
| 机电一体化控制技术与系统(计时鸣) | 33.00 | 电子信息类专业英语(高职)(汤滟) | 20.00 |
| 机械原理(朱龙英) | 27.00 | 高等教育学新探(杜希民)(研究生) | 36.00 |
| 机械设计(王宁侠) | 36.00 | 国际贸易实务(谭大林)(高职) | 24.00 |
| 机械CAD/CAM(葛友华) | 20.00 | 国际贸易理论与实务(鲁丹萍)(高职) | 27.00 |
| 画法几何与机械制图(叶琳) | 35.00 | 电子商务与物流(燕春蓉) | 21.00 |
| 机械制图与CAD(含习题集)(杜淑幸) | 59.00 | 市场营销与市场调查技术(康晓玲) | 25.00 |
| 机械设备制造技术(高职)(柳青松) | 33.00 | 技术创业：企业组织设计与团队建设(邓俊荣) | 24.00 |
| 机械制造技术实训教程(高职)(黄雨田) | 23.00 | 技术创业：创业者与创业战略(马鸣萧) | 20.00 |
| 机械制造基础(周桂莲) | 21.00 | 技术创业：技术项目评价与选择(杜跃平) | 20.00 |
| 特种加工(高职)(杨武成) | 20.00 | 技术创业：商务谈判与推销技术(王林雪) | 25.00 |
| 数控加工进阶教程(张立新) | 30.00 | 技术创业：知识产权理论与实务(王品华) | 28.00 |
| 数控加工工艺学(任同) | 29.00 | 技术创业：新创企业融资与理财(张蔚虹) | 25.00 |
| 数控机床电气控制(高职)(姚勇刚) | 21.00 | 计算方法及其MATLAB实现(杨志明)(高职) | 28.00 |
| 机床电器与PLC(高职)(李伟) | 14.00 | 网络金融与应用(高职) | 20.00 |
| 电机与电气控制(高职)(冉文) | 23.00 | 网络营销(王少华) | 21.00 |
| 电机安装维护与故障处理(高职)(张桂金) | 18.00 | 网络营销理论与实务(高职)(宋沛军) | 33.00 |
| 供配电技术(高职)(杨洋) | 25.00 | 企划设计与企划书写作(高职)(李红薇) | 23.00 |
| 模具制造技术(高职)(刘航) | 24.00 | 现代公关礼仪(高职)(王剑) | 30.00 |
| 塑料成型模具设计(高职)(单小根) | 37.00 | 布艺折叠花(中职)(赵彤凤) | 25.00 |

欢迎来函来电索取本社书目和教材介绍！　通信地址：西安市太白南路2号　西安电子科技大学出版社发行部

邮政编码：710071　邮购业务电话：(029)88201467　传真电话：(029)88213675。

# 《思想道德修养与法律基础》 课程练习册

## 答 题 纸

班　　级　＿＿＿＿＿＿＿＿＿＿＿＿

姓　　名　＿＿＿＿＿＿＿＿＿＿＿＿

# 绪　论　珍惜大学生活　开拓新的境界

## Ⅰ　客观性试题

### 一、单项选择题

1. (　　) 　　2. (　　) 　　3. (　　) 　　4. (　　)

5. (　　) 　　6. (　　) 　　7. (　　) 　　8. (　　)

9. (　　) 　　10. (　　) 　　11. (　　) 　　12. (　　)

13. (　　) 　　14. (　　) 　　15. (　　) 　　16. (　　)

17. (　　) 　　18. (　　) 　　19. (　　) 　　20. (　　)

### 二、多项选择题

21. (　　) 　　22. (　　) 　　23. (　　) 　　24. (　　)

25. (　　) 　　26. (　　) 　　27. (　　) 　　28. (　　)

29. (　　) 　　30. (　　) 　　31. (　　) 　　32. (　　)

33. (　　) 　　34. (　　) 　　35. (　　) 　　36. (　　)

37. (　　) 　　38. (　　) 　　39. (　　) 　　40. (　　)

## Ⅱ　主观性试题

# 第一章　追求远大理想　坚定崇高信念

## Ⅰ　客观性试题

### 一、单项选择题

1. (　　)　　2. (　　)　　3. (　　)　　4. (　　)

5. (　　)　　6. (　　)　　7. (　　)　　8. (　　)

9. (　　)　　10. (　　)　　11. (　　)　　12. (　　)

13. (　　)　　14. (　　)　　15. (　　)　　16. (　　)

17. (　　)　　18. (　　)　　19. (　　)　　20. (　　)

### 二、多项选择题

21. (　　)　　22. (　　)　　23. (　　)　　24. (　　)

25. (　　)　　26. (　　)　　27. (　　)　　28. (　　)

29. (　　)　　30. (　　)　　31. (　　)　　32. (　　)

33. (　　)　　34. (　　)　　35. (　　)　　36. (　　)

37. (　　)　　38. (　　)　　39. (　　)　　40. (　　)

## Ⅱ　主观性试题

_____

_____

_____

_____

_____

_____

_____

_____

# 第二章　继承爱国传统　振奋民族精神

## Ⅰ　客观性试题

**一、单项选择题**

1.（　　）　　　2.（　　）　　　3.（　　）　　　4.（　　）

5.（　　）　　　6.（　　）　　　7.（　　）　　　8.（　　）

9.（　　）　　　10.（　　）　　　11.（　　）　　　12.（　　）

13.（　　）　　　14.（　　）　　　15.（　　）　　　16.（　　）

17.（　　）　　　18.（　　）　　　19.（　　）　　　20.（　　）

**二、多项选择题**

21.（　　）　　　22.（　　）　　　23.（　　）　　　24.（　　）

25.（　　）　　　26.（　　）　　　27.（　　）　　　28.（　　）

29.（　　）　　　30.（　　）　　　31.（　　）　　　32.（　　）

33.（　　）　　　34.（　　）　　　35.（　　）　　　36.（　　）

37.（　　）　　　38.（　　）　　　39.（　　）　　　40.（　　）

## Ⅱ　主观性试题

# 第三章　领悟人生真谛　创造人生价值

## Ⅰ　客观性试题

**一、单项选择题**

1.（　　）　　2.（　　）　　3.（　　）　　4.（　　）

5.（　　）　　6.（　　）　　7.（　　）　　8.（　　）

9.（　　）　　10.（　　）　　11.（　　）　　12.（　　）

13.（　　）　　14.（　　）　　15.（　　）　　16.（　　）

17.（　　）　　18.（　　）　　19.（　　）　　20.（　　）

**二、多项选择题**

21.（　　）　　22.（　　）　　23.（　　）　　24.（　　）

25.（　　）　　26.（　　）　　27.（　　）　　28.（　　）

29.（　　）　　30.（　　）　　31.（　　）　　32.（　　）

33.（　　）　　34.（　　）　　35.（　　）　　36.（　　）

37.（　　）　　38.（　　）　　39.（　　）　　40.（　　）

## Ⅱ　主观性试题

# 第四章　加强道德修养　锤炼道德品质

## Ⅰ　客观性试题

### 一、单项选择题

1. (　　)　　2. (　　)　　3. (　　)　　4. (　　)

5. (　　)　　6. (　　)　　7. (　　)　　8. (　　)

9. (　　)　　10. (　　)　　11. (　　)　　12. (　　)

13. (　　)　　14. (　　)　　15. (　　)　　16. (　　)

17. (　　)　　18. (　　)　　19. (　　)　　20. (　　)

### 二、多项选择题

21. (　　)　　22. (　　)　　23. (　　)　　24. (　　)

25. (　　)　　26. (　　)　　27. (　　)　　28. (　　)

29. (　　)　　30. (　　)　　31. (　　)　　32. (　　)

33. (　　)　　34. (　　)　　35. (　　)　　36. (　　)

37. (　　)　　38. (　　)　　39. (　　)　　40. (　　)

## Ⅱ　主观性试题

_____

_____

_____

_____

_____

_____

_____

_____

# 第五章　遵守社会公德　维护公共秩序

## I　客观性试题

### 一、单项选择题

1. (　　)　　2. (　　)　　3. (　　)　　4. (　　)

5. (　　)　　6. (　　)　　7. (　　)　　8. (　　)

9. (　　)　　10. (　　)　　11. (　　)　　12. (　　)

13. (　　)　　14. (　　)　　15. (　　)　　16. (　　)

17. (　　)　　18. (　　)　　19. (　　)　　20. (　　)

### 二、多项选择题

21. (　　)　　22. (　　)　　23. (　　)　　24. (　　)

25. (　　)　　26. (　　)　　27. (　　)　　28. (　　)

29. (　　)　　30. (　　)　　31. (　　)　　32. (　　)

33. (　　)　　34. (　　)　　35. (　　)　　36. (　　)

37. (　　)　　38. (　　)　　39. (　　)　　40. (　　)

## II　主观性试题

_____

_____

_____

_____

_____

_____

_____

_____

# 第六章　培育职业精神　树立家庭美德

## Ⅰ　客观性试题

### 一、单项选择题

| | | | |
|---|---|---|---|
| 1. （　　） | 2. （　　） | 3. （　　） | 4. （　　） |
| 5. （　　） | 6. （　　） | 7. （　　） | 8. （　　） |
| 9. （　　） | 10. （　　） | 11. （　　） | 12. （　　） |
| 13. （　　） | 14. （　　） | 15. （　　） | 16. （　　） |
| 17. （　　） | 18. （　　） | 19. （　　） | 20. （　　） |

### 二、多项选择题

| | | | |
|---|---|---|---|
| 21. （　　） | 22. （　　） | 23. （　　） | 24. （　　） |
| 25. （　　） | 26. （　　） | 27. （　　） | 28. （　　） |
| 29. （　　） | 30. （　　） | 31. （　　） | 32. （　　） |
| 33. （　　） | 34. （　　） | 35. （　　） | 36. （　　） |
| 37. （　　） | 38. （　　） | 39. （　　） | 40. （　　） |

## Ⅱ　主观性试题

# 第七章　增强法律意识　弘扬法治精神

## Ⅰ　客观性试题

### 一、单项选择题

1. (　　)　　　　2. (　　)　　　　3. (　　)　　　　4. (　　)

5. (　　)　　　　6. (　　)　　　　7. (　　)　　　　8. (　　)

9. (　　)　　　　10. (　　)　　　11. (　　)　　　12. (　　)

13. (　　)　　　14. (　　)　　　15. (　　)　　　16. (　　)

17. (　　)　　　18. (　　)　　　19. (　　)　　　20. (　　)

### 二、多项选择题

21. (　　)　　　22. (　　)　　　23. (　　)　　　24. (　　)

25. (　　)　　　26. (　　)　　　27. (　　)　　　28. (　　)

29. (　　)　　　30. (　　)　　　31. (　　)　　　32. (　　)

33. (　　)　　　34. (　　)　　　35. (　　)　　　36. (　　)

37. (　　)　　　38. (　　)　　　39. (　　)　　　40. (　　)

## Ⅱ　主观性试题

_____

_____

_____

_____

_____

_____

_____

# 第八章  了解法律制度  自觉遵守法律

## Ⅰ  客观性试题

### 一、单项选择题

| | | | |
|---|---|---|---|
| 1.（　） | 2.（　） | 3.（　） | 4.（　） |
| 5.（　） | 6.（　） | 7.（　） | 8.（　） |
| 9.（　） | 10.（　） | 11.（　） | 12.（　） |
| 13.（　） | 14.（　） | 15.（　） | 16.（　） |
| 17.（　） | 18.（　） | 19.（　） | 20.（　） |

### 二、多项选择题

| | | | |
|---|---|---|---|
| 21.（　） | 22.（　） | 23.（　） | 24.（　） |
| 25.（　） | 26.（　） | 27.（　） | 28.（　） |
| 29.（　） | 30.（　） | 31.（　） | 32.（　） |
| 33.（　） | 34.（　） | 35.（　） | 36.（　） |
| 37.（　） | 38.（　） | 39.（　） | 40.（　） |

## Ⅱ  主观性试题

_____

_____

_____

_____

_____

_____

_____

_____